時代の変わり目に立つ

平成快気談

御厨貴 著

吉田書店

一〇〇冊目の本がいとおしい

一〇〇冊目になる。この本をもってである。もちろん、単著、共著、編著、共編著をすべて数え上げ、文庫化などのリニューアル版も一冊と数えた成果に他ならない。長きが故に尊からずと同様、多きが故に尊からずたることはよくわかっている。だが、それにしても四五年を迎える学者生活の積み重ねの中で、多様かつ多彩な趣のある本をこれだけの数、世の中に出しえたことを素直に喜びたい。

学者生活四五年間に均等に一冊一冊出したわけでは無論ない。還暦を迎えて「東大先端研教授」を早期定年で退き、六〇歳代の八年間に降り積もる雪の如くに書き積もった本が圧倒的だ。「先端研客員教授」を続けながら、放送大学、国際日本文化研究センター、青山学院大学など、新たな研究教育機関と併走して様々な刺激を受けたことが大きい。サントリー文化財団、ひょうご震災記念二一世紀研究機構などとの付き合いも刺激的だった。

それにつけても、一〇〇冊目にあたるこの本がとてもいとおしい。何故か。ここに収められた作品群はいずれも、平成三〇（二〇一八）年三月から平成三一年を経て、令和元（二〇一九）年九月までに上梓されたものばかりだ。実は、この一年半は膀胱がんを患い、感染症に見舞われ、「東大駒場先端研」と我が「等々力の自宅」とのほぼ中間地点にある「国立東京医療センター」に通い、二度も長期入院し治療を受け続けた時期にぴたり重なる。その結果、膀胱全摘の手術を受け、ストマと称する人工膀胱を週二回付け替え、二時間に一度はトイレで袋に溜まった尿を出す営みを繰り返す身体になってしまった。東京都から「身体障害者手帳（四級）」を交付され、介護保険や地域医療にもお世話になる身である。考えもしなかった事態に呆然とする暇《いとま》もなく、嵐のような一年半が過ぎ去った。

そんな闘病生活の中で、少しでも我を取り戻す時間があったとすれば、この本に収録された講演、口述筆記、自筆エセーに見られる表現活動の継続以外にありえない。少しでも身体が許せば、現場に立ったし、口述も含めて文章の執筆と修正に精を出した。病が癒えた令和元年一〇月で、一区切りだなと感じた。

そこで吉田書店の吉田くんに相談して、この闘病一年半の記録を整理し出版することにした。といっても、この本は闘病記録ではまったくない。一年半の闘病生活のインフラの部分を明らかにしたものである。日記や手帳に生々しい闘病体験が筆記されてはいる。しかしまだ自分の中で整理がつかずそのままである。いずれ世に出したいと思ってはいるが……。

一〇〇冊目の本。とても感慨深い。これを励みに令和の時代に、一〇一冊そして一〇二冊と順次また本を世に問うていきたい。

さて、この本を作るために直接間接に支援いただいた「東京大学先端科学技術研究センター」と、「国立東京医療センター」とに、心より感謝したい。令和二年三月で「東大先端研客員教授」を任期満了で退任する。引き続き「東大先端研フェロー」として活動することになるが、この本をもって客員教授としての仕事の締めくくりとしての刻印を打つこととしたい。

令和元年一二月

御厨　貴

時代の変わり目に立つ——平成快気談

目次

時代をつかむ――講演

時代と向き合う――語りと対話

＊本書に登場する人物の肩書き、所属等は、原則として、初出発表時のものである。

時代をつかむ

——講演

明治一五〇年と平成三〇年

講演＝学習院大学法学会　二〇一八年六月一九日

明治一五〇年と言うと、気の遠くなるような長い期間だと、若い諸君は思われるでしょう。これをなんで二〇一八年に考え直さなくてはいけないのか。同時に、今年は平成三〇年ですが、来年の四月で平成という元号が使われている時代が終わる。そのことで、元号という日本固有のその年の表現の仕方というのがずいぶん長いこと止まっていたのが、やはり今上陛下が退位をされるということが決まってから、急速に動きが激しくなったというのが私の印象であります。

私自身、今から二年前の二〇一六年に、当時の「天皇の公務の負担軽減等に関する有識者会議」という、天皇陛下がとにかく退位をされたいと言われたのでそれをどうするかということを決める有識者会議で、座長代理を務めました。したがって、「退位特例法」（天皇の退位等に関する皇室典範特例法）ができたということに対し、この一年間は、それを演出する側に回っておりましたので、そういう意味からもやや特殊な感慨を持つということになります。

近代史をどう考えるか

歴史をどう考えるか、特に近代史ですが、この近代史をどう考えるかというのにはかなり恣意的な要素があります。この国では明治、大正、昭和、平成と、天皇の在位と同じだけの年数を表す元号が、明治に至って一世一元として定められた。それ以前からもちろん元号はあったんですが、それ以前の元号は、天皇が途中で退位したり、逆に退位以外でも変わることがあった。しかし、まさに明治一五〇年ですが、この近代になってから、つまり日本が近代国家になってからというのは一世一元であって、天皇とともに元号の世界が存在する、ということになってきたわけです。

ただ、この元号が、そんなに多く使われたかというと、これは皆さんはどういう印象を持っておられるか知りませんが、平成何年という言い方で年を数えるということがあまり若い諸君にはなかったのではないかと思います。だいたいもう、西暦で数える。二〇〇何年で数えるほうが当たり前になっている。今日は大学生の皆さんへの講演ですけれども、同じくこの平成が終わるという話を中学生の諸君にしたことがあるんですが、平成と言われてもピンとこない。今度天皇陛下がおやめになるので、自分たちの元号というものが平成であることを初めて知ったと。あなた方は、じゃあ現実にどういう歴史表示をしているのかと聞いたら、当然西暦だと。二〇〇〇何年とか一九〇〇何年といえばわかるけど、平成なんていうものが自分たちにまとわりついてくるものだとは思わなかった。ただ、彼ら彼女らが言った、すごく面白い話は、でも自分たちは昭和というものがあるのは知っている。昭和ということで知っているのは何ですかと聞いたら、昭和で思い出すのは、昭和のことをいろいろ言い募るうざいおじさんやおばさんたちがいるということであって、昭和というのはうざいし嫌だし、あんなふうにはなりたくないと思っていたんですが……という話です。ところが、いざ今度平成が終わるということになってしまった。そうするとポスト平成。来年には新しい元号が決まると、彼ら彼女らが一斉に言ったのは、私たちもうざいと言われる、昭和の人たちのようにひとくくりにされるんですねと。ああやっぱり今の若い中学生も、天皇が退位されるということでようやく平成というものに対して初めて意識を持つようになったんだなあと、聞いていてなるほどと思いましたね。

近年この国でずっとやってきたのは、昭和という切り方より、戦後という切り方です。これは戦後二〇年ぐらいから始まって、さらに戦後四〇年、一九九五年がちょうど敗戦から五〇年。次は小泉内閣のときの二〇〇五年で戦後六〇年。そして最もこの戦後というのが騒がれたのが、ご承知のように今から三年前の二〇一五年。この二〇一五年は戦後七〇年ということで、とりわけ安倍総理が戦後七〇年というのをメルクマールにして、戦後という考え方、あるいは戦後にまつわるいろいろな神話をここでストップさせようという意図がありました。あそこで問題提起をしたのが、一九四五年に敗戦になったあの戦争の責任がなぜ敗戦国である日本にだけあるんだ、日本は侵略戦争をしたというけれども、日本だけが侵略戦争をしたのではないということでした。それが戦後七〇年の総理談話に入るかどうかというのは、二〇一五年にかなり政治的に争われました。結果、安倍さんは非常に賢明だったと思いますが、日本だけが侵略戦争をしたのではないという主張を取り下げます。戦後七〇年の談話というのは、非常に出来のよくない談話だと私は思いますけれども、おそらく、最後の最後まで添削をし続けた。その結果としてあそこに挙げられている戦争関連用語は、「戦争」「事変」、そして「侵略」という言葉が整理されぬまま、よくわからないように入っている。そういう談話です。ですから二〇一五年で歴史について何か言うことはひとまず終わった。次は戦後八〇年と言うが、しかし戦後八〇年というのはもう現実にはなかなか言い募れないとみんな思うわけです。なぜならば、戦後七〇年までは、ぎりぎりまだ先の大戦を現実に戦争として戦った人たちがかろうじて生き残っている。彼らからの証言をとることがまだ可能でした。でも、あと一〇年経ったときにほとんどあの大戦を知っている、あの大戦を戦った人たちはいなくなる。だからおそらくその段階で戦後という言い方は消えるだろうというのが、そのときにみんなが一様に思ったことでありました。

天皇陛下のビデオメッセージ

さあそうすると、あと次は何だろうね、となります。明治一五〇年という言い方もちらほらされていましたけれども、次はオリンピックイヤーだと。二〇二〇年にそれが来るからみたいなところで意識が止まっていたところ、これを大きく揺り動かすことになったのが、今上陛下の退位の意向の表明です。これは今から二年前、二〇一六年七月のNHKの夜七時のニュースで突然報道されたわけであります。それからひと月たって、八月、天皇陛下は自らビデオメッセージという形で、退位されたいということを国民に訴える。こういうことが続きまして、最終的に九月に有識者会議ができ、私はメディア担当の座長代理ということになり、それから半年議論をして、去年の四月に答申を出し、それが国会へ行って、去年の六月に退位特例法が成立した。陛下が問題を提起してから、一年間で、法の制定まで至ったというのは、この国の法の成立というか、立法のあり方を知っている者にとっては驚くべきことでした。提起されてから一年間でその改正法がそのままうまく通るなんてことは全く考えられないんですけれども、この際はそれが通ったわけです。

二〇一六年七月のＮＨＫのニュースを聞いたときに、私のところには、たちどころに取材の申し込みがありましたから、それにこたえなくてはいけない。ただそのときに思ったのは、これはもしかすると、天皇は土俵の外に足を出したか出さないかぎりぎりのところだなということでした。つまり、戦後憲法はご承知のように、天皇の政治的行為を禁じています。天皇自らがこれまで決められていた崩御制、天皇陛下は崩御、つまり亡くならない限り天皇の位を譲ることができないという原則を変えたい、いろんな理由はあるけれどとにかく変えたいというわけです。それをしかもルールにのっとってというか、そもそもそういうルールがあるのかという問題はあるんですけども、政府内で議論をするとか、宮内庁の中で議論をするとかということなしに、いきなりテレビを使って国民の前にそういう意向を伝えた。最初はニュースという形、次は自らのメッセージという形でそれを国民の前に知らしめた。崩御制を変えるということ自体がおそろしく政治的な行為であるのは間違いありませんが、それを陛下自らがされるということは、もっと大変なことなのではないかというのが、そのときに思ったことであります。

ただ、これもわりあい、すうっとそのあと受け入れられてしまった。その大きな原因は、これまた世論の動向にありました。ありとあらゆるマスコミが、この二か月間で国民世論の動向を探った。すると、八割から九割の国民が、どうか陛下お休みください、これまで長い間働いていただいてありがとうございました、どうぞ自由にご退位あそばせというふうなことになったんです。ですから我々有識者会議は、陛下の申し出によって我々が動くという形ではなく、陛下の申し出を受けた国民世論が圧倒的にそれを支持したという、その事実に基づいて我々は動くのだと。つまり、これは事実上国民投票をしたのと同じ効果だと、だからそれに従って動くんだという構成をとりました。そうでない限り、今後常に陛下自身がそういうことを言い出されたということについての疑念が残るからでありま す。

しかもその後、いろいろなことでわかってきたのですけれど、過去五年以上にわたり、今上陛下は、自らの相談役である宮内庁参与たちに訴え続けました。宮内庁参与とは、この国のかなり高い地位にある、警察庁長官や検事総長が退職後任命され、東大の有名な名誉教授などもその中に入っていたりする、いわば最高の枢密機関であるわけです。そこで五年間、とにかく陛下は言い続けた。五年間ですよ。五年間言い続けても、まあそれはそれは……となり、小田原評定が繰り返されることになる。陛下から見れば、この人たちは役に立たない。そればかりか、任せておいたらいつまでたってもやらないというので、直接国民へ訴えかけるという方針に出たわけです。いかに陛下が周辺ないし政府に対して警戒心を持っていたかというのは、その後の例のビデオメッセージをめぐる抗争でも明らかになります。あのビデオメッセージは、最初からああいう形になるものだったわけではありません。陛下が主張されたのは、自ら国民の前にマイクを持って立つと。これを聞くと、敗戦のとき昭和天皇が同じようなことを言ったのを思い出します。要は、それをしないと自分の真意がどこかで曲げられる、だから編集されたテープは嫌だと。自分は直接語りかけたいとなりました。これをなんとか、まあそうはおっしゃるけれども……、とビデオメッセージという形に落ち着きましたが、実際に放映される前には天皇もちゃんと自らチェックしておられたのでしょう。それでいいだろうということになった。内容的に言ってもあのビデオメッセージを、その後あまり問題にする人はいません。

しかし、今になって読んでみると、説得的であるとは思いますが、必ずしも説明を全部尽くしているとは思えない。さきの戦後五〇年、戦後七〇年の談話もそうでありましたけれども、どこかが削られているなという跡はあります。つまり、巷間言われているところでは、あの二倍はあったそうです。あの二倍はあって、もっと材料盛りだくさんな内容であったものをとにかくあそこまで削りこんだと言われています。あのときのメッセージで、ああ、やっぱり大事だったのはこの点だなと今になっても思うことがあります。陛下が自らの行為として憲法に定められている国事行為、これについてはほぼスルーしている。それから、私的行為とされている宮中祭祀、これもスルーした。そしてものすごく力を込めて語られたのは、まさに戦後憲法に初めて記載された象徴としての務めということだった。この象徴としての務めを、自分は天皇になってからずっと考えてきて、そして今自分が一生懸命やっているのはまさに象徴としての務めであって、これこそが戦後憲法が天皇に期待したことである。そしてまた天皇が国民に対してなさねばならなかったことのすべてであると見えるように、実は書いてある。それが特に平成という期間にぴったりと重なる。一つは昭和天皇がなしえなかった、さきの戦争の戦地、それも国内だけではない国外も含めて、その戦地へ赴き、そこで鎮魂の行為、お祈りを捧げるという、その祈りの行為、鎮魂の行為。それからもう一つは、自然災害の現地に行くことです。

平成年間になってから明らかになったことですが、戦後、一九四五年以降の昭和の時代は、いろいろ自然災害はありましたけれども、しかし六〇年代のいわゆる高度成長、科学技術の発展ということの中にあって、自然災害は最終的に科学の力によって抑え込めるという信仰があり、そしてまた他方で、もちろん地震がなかったとは言いませんけれども、大型地震が続けてやってくるような事態はなかった。平成になってからそれがぞくぞくと起きるようになった。阪神・淡路大震災しかり、その後に、一番大きいのが東日本大震災であり、そして熊本地震であり、等々です。何年かおいて、非常に大きな地震が起こり、地震と地震の間にも台風、水害などの自然災害というものが起きる。そうすると、今上陛下がとにかくご夫妻ともに、その現地へ向かう。現地へ行って現地の人々を慰める。そして被害に遭った人たちすべてに対して祈りを捧げるということが行われる。そうしてみると、自然災害がたくさんあるものですから、常に天皇陛下はスタンバイ。ことが起きたらすぐその場所に行かれるということが繰り返されるようになる。そしてそれを、全部テレビという媒体が後追いをするようになる。

「テレビ天皇制」の時代

今の天皇ご夫妻は、生まれついての、ある意味でいうとテレビを通じて天皇制というものをあらしめるということを身をもってずっとやってこられた方々なんですね。ご自身の結婚のとき、昭和三〇年代です。昭和三〇年代なんていうと、今の若い諸君は遠い昔のことだと思われると思いますが、テレビが初めて家庭に入った。テレビが最初に国民全員で見られるようになったのはまさにこの、天皇皇后両陛下の皇太子時代のご結婚でした。したがって、このご結婚というところから、実は常にビジュアル的にテレビに映し出される自分たちというものをすでに今上陛下は経験されている。そこからスタートです。天皇制は常にテレビに映し出される。映し出されなければ忘れられる。若い人たちが今でも天皇陛下、あるいは他の皇族の方々を見て、ワー、キャーと言ったり、カワイイと言ったりするのはビジュアルで見るからです。このたびの退位問題で、天皇は御簾の内に隠れて出ないほうがいい、天皇というのは天皇であって、いつであっても御簾の内で国民の安寧を静かに祈っているだけでいいということを主張した人がいました。しかしそうであったならば、おそらく天皇制というものはもっと前の段階で相当問題になっていたと思いますね。そうではない。常にとにかく国民の前に現れる。これが大きい。

当時、政治学者の松下圭一はこれを大衆天皇制と呼びました。改めて言えばテレビ天皇制でありました。ビジュアル的に全部映してもらうことが大事。常にどこにいても映る、これが大事。それにたけておられるのが今の天皇皇后両陛下である。つまりテレビを通して国民の支持、国民の注目を集めない限り天皇制は維持できないということをよくわかっておられる。だから最後は賭けに出た。つまり、やめるということについて直接国民に訴えるというあの行為に出たわけです。

しかもそのビデオメッセージの中で天皇陛下が一番強調されているのは、自分が作り上げてきた、祈るということ、国民の隅々にまで足を運んで祈るという行為、これにまさるものはないと。だからあのメッセージを読んでみますと、摂政制はとらない、摂政は置かない、やめると書いてある。なぜやめるのか、これも非常に印象的でありました。つまり、この国は高齢化社会になっていますよね、と陛下は言われた。高齢化というのは、日本の国民のみならず、この天皇の身、つまり皇族であっても同じですよ、それをあなた方は忘れていたのではありませんかという、これは強烈なメッセージだったと思います。

つまり我々は崩御制が前提で、天皇陛下がどんなに年を取ろうと、ご病気になろうと、ずっと息を引き取られるまでは天皇であるという、明治一五〇年の呪縛にかかっておりました。陛下が高齢化するということについてあまり深く考えていなかった。しかし天皇自身は考えていた。なぜなら、先の昭和天皇が亡くなられるとき、ずいぶん時間があって、それでどういう事態が起きたか。天皇陛下のご病状というものが、脈拍数がいくつでとか、そういうことが全部毎日毎日、克明に報道された。これはもう本当に、プライバシーも何もあったものではない。みんな、いつ亡くなるか、いつ亡くなるかと見ている。そういう状況のもとに放り出される。今上陛下が考えたのは、あれはいくらなんでもひどいと。だから自分の代ではそうならないようにしようというのが、たぶん即位されてからずっと考えておられたことなのだと思います。ですから、天皇も高齢化する。それこそ自分も病気もした。手術もした。そしてそれ相応に体が動かなくなっている。だから今のうちにやめて、若い皇太子に地位を譲りたいというのがあそこの叫びであったと思います。それはそれとして、国民の同意を得ることができた。だからその後も道が開けてきたというのが現状だろうと思います。

もう一つ言っておきますと、テレビに微細に映されるということは、本当にだんだん残酷になってくる。今のテレビはご承知のように、液晶ででかくて、肌のひとつの荒れまで見えるぐらいに細かく映る。そうするといろんなところに公的に訪問されたり、公的に鎮魂の行為をなさるときに映し出される両陛下はありのままです。足の震えとか手が震えているとか、ちょっと仕草を間違えたとか、全部それが映るわけです。かつてはそんなことはありませんでした。今は一挙手一投足がみんなわかってしまう。そういう状況の中でこれ以上務められないなと。ビジュアルな存在として自らを規定してきた天皇は、ビジュアルな存在としてもういられないという段階でSOSを出したということがよくわかります。

崩御制原則のゆらぎ

ですから我々は、そういう陛下の意向というものを汲んで、退位という方向性を打ち出しました。ただしそれは一代限りでなければ無理であろうということで、恒久法にすることは避けました。これにはいくつか問題点がある。一つは、この一代限りとすることによって、明治に伊藤博文が定めて以来の崩御制という原則をとにかく守り通すことができる。なぜならこれはあくまでも例外ですから。つまり、崩御制は原則であるが、今回はこの特殊事情において今回の天皇、一回限りにおいて譲位あるいは退位を認めると。あくまでも上位概念は、崩御制なんです。だけどもそこに退位制というのが出てくる。ただ、賢明なみなさんはおわかりだと思います。一旦こういう例外を認めてしまうと、その例外はやがて通則になっていく。我々もそういうふうに考えています。つまり一回やると次の問題が出たときに必ずこの例外が参照される。例外が参照された場合には、またこれで行こうねという話になる。それが数回続けば、これは慣習法化し、やがて制定法になる。だったら変えたらいいんじゃないというふうになっていく。そのとき初めて崩御制原則は、いわゆる退位制に取って代わられるということになるわけです。

ただ、政治的に言いますと、もうすでに今回一代限りを認めたことによって、崩御制は相当ぐらつくことになる。というのは、どの天皇にあっても、亡くなってしまえば亡くなった段階で崩御制でありますけど、退位の問題は崩御の前に起こります。体が動かなくなったとか、いろんな事情で、私もそろそろとか。つまり崩御制原則と言いながら、今回例外を生んでしまったことによって、これからは間違いなく退位制というものが前面に出てくる。その問題が先にあって、それをクリアした場合は退位になるし、でなければ崩御制まで行っちゃうという二択になっていく……。これは今回、自分でやってみて、あ、そういうことなんだということに気が付いたわけです。

つまり何を言いたいかというと、陛下ご高齢につき退位を認めるという、明治一五〇年やってこなかった天皇退位に道をつけたことによって、おおいにこれから天皇制は揺れるだろうということなんです。もちろん江戸時代以前のように、弟と兄とが立って両統対立とかそういう激しい状況が起こるかどうかはわかりませんが、これまでのように崩御制が保っていた秩序が崩れたなというのが、歴史学者といいますか、政治学者に戻って改めて考えたときの私の今の心境です。

そもそも上皇陛下というのが百何十年ぶりに生まれるわけです。「上皇」という呼称。これはそれ以外にないのかとずいぶん言われましたけど、なかなかないんです。上皇陛下がおられて、そして天皇陛下がおられて、そして皇位を次に譲られる皇嗣殿下。この三代がこれからは一緒に国民の前に現れることになる。これまでの天皇制では、どんな場合でも国民の前に第一に現れるのは天皇陛下だけでした。あるいは皇后とセットで天皇皇后両陛下。でもこれからはその上に、ご隠居さんになられるかどうか、ご隠居さんになっていただきたいのですけれども、上皇陛下夫妻。そして天皇陛下夫妻の下に天皇の弟であって皇位を継ぐことが予定されている皇嗣殿下夫妻。この三代がおそろいで国民の前に現れることになる。二重象徴ということを心配する声がいろいろありますけれども、二重象徴どころではない。実は三重象徴ぐらいになる。これを三重象徴と見るか、三代そろってというふうに演出するかは、宮内庁の側の責任です。

ところで、昭和天皇がいよいよ、危ういというときにこの国に何が起きたか。叙勲というのがございます。これは若い諸君にとってみれば、変なブリキの勲章をぶら下げることだとしか思わないかもしれませんが、政府の役人やあるいは会社の経営者にとっては非常に大事なものである。これをいただけるかどうか。昭和天皇が亡くなる前の数年間、この叙勲ラッシュが続くんです。なぜか。もらうなら今の天皇から。ありがたみが違う。次の天皇ではありがたみがない。だから今の天皇のうちに欲しいというので、それまで低い勲章では嫌だと言っていた連中がみんな勲位が低くてもいいからとにかく昭和天皇からいただきたい。こんなことも起きるんですね。そういうことは今回も起きているやに聞きます。

「代替わり」の意味を考える

さらに言えば、今上天皇が即位されてからずっと、今のように、それこそ今、高らかに象徴としてのお務めをやっていると言われたように、自信満々であられたかというと、決してそんなことはない。昭和から平成に代わっての五年間というのは、皇室にとっては塗炭の苦しみでありました。なぜか。やっぱり昭和天皇と常に比較される。でもその天皇は亡くなったんだよね、次の天皇は何してるんだと言われる。報道、特に新聞報道に天皇のことが扱われる紙面が少なくなった。つまりこれまでだったら昭和天皇が何かされるというと、必ず新聞の社会面に二段抜きで出る。どこか海外に行かれるというともっと大きく一面にも出る。ところが、今上天皇になられてからの五年間というのは、何をしようともベタ記事にしか出ない。これでは国民の注目を集めることができない。だから最初の五年間というのは、相当両陛下ともに、どうやったら国民の視線を自分たちに向けることができるか、苦労をされた時代であった。それがさっき言ったように、自然災害があればお祈りに行く、あるいはお祈りに行く天皇を演出することが常態になればなるほど、それが確たる行為になっていく。だから、あのメッセージの中で陛下が、自分が作り上げたものだということを訴え、そしてこれが本当にいいかどうかを国民に判断してくれという、あの部分は、そういう意味では国民にも投げかけられている。

さあ我々は困りました。我々有識者会議でも議論をし、それから他の有識者へのヒアリングなども致しました。陛下は、ご自分がやってきたものの、もうできなくなってきている、いっぱいいっぱいの象徴としての行為、務めを、次の世代にすべてを引き継ぎたいとあのとき言われた。メッセージにはっきりそう書いてあります。こんなに多くのお務めをこなし続けるのは、いくら何でも無理ではないかというのが、ヒアリングを行った多くの有識者の実感でした。そして、有識者会議で宮内庁に尋ねました。すると、国事行為で削れるものはない。国事行為は増えてはいるけど削れるものは一つもないというのが宮内庁の答えでした。では、象徴としての務め、これで減らせるものはないのか。それもありませんと。一方で、自然災害は増えるばかりですと、そういうことでありました。これからなお増えてくるものに対してそれを全部次の天皇夫妻に譲るというのは、これはなかなか……、というのは本音のところではあり、これについては深い議論をする時間がないまま、クエスチョンマークにしてそのままおしまいになってしまったのであります。

ただ、陛下がなぜあそこまで早い時期の退位を力説されたかというと、私は、次の天皇、今の皇太子と皇太子妃殿下に対するオン・ザ・ジョブ・トレーニングを早くやりたかったからだろうと思っています。つまり、天皇も天皇になって初めて天皇らしくなる。それまでは、さっきも言いましたように、今上陛下も皇太子の時代には、天皇になって大丈夫かしらといったことを言われた。だけどなってみて苦労するとそれなりになる。よくプレジデンシー・メイクス・プレジデントと言います。それと同じように、今の皇太子ないし皇太子妃殿下に対してもオン・ザ・ジョブ・トレーニングをしよう、と。とにかく生きている間にその地位を譲れば、それをきちんと務めてくれるのではないかという期待があったんだなという思いが大でした。

これからいろいろなことが起こってくると思います。一つの問題は、政府の側がやはりあまり、この天皇陛下の代替わりと、元号が変わるということについて認識が深くない。平成を三〇年で終わらせれば一番良かった。つまり今年の一二月三一日で終わらせて、一月一日から新しい天皇が即位されて改元ということならば、退位したことの意味があります。きちんとここで交代する。ところが政府はいろいろな理由を立てて四月の終わりまで引き延ばした。

聞いてみると大した理由ではない。一月は国会があり、予算の編成で一番忙しい。二月もまだ積み残し法案がある。三月になると今度は年度の変わり目の準備をしなくちゃならない。四月は統一地方選挙がある。だから五月一日にしようと。こんなことで退位あるいは天皇の交代の日が決まるという実態に、私は非常に驚きました。五月一日ですよ。メーデーの日なのです。そのことを政府の高官に私は言いました。メーデーの日によく天皇の交代をやりますねと。そうしたら返ってきた答えがまた、おやおやという感じで、いやや、メーデーといっても最近労働者はおとなしいですから……と。いや、そういう問題ではないでしょう。あのメーデーというのは昭和二〇年代に血のメーデーと言われたもので、皇居前広場で何が繰り広げられたか。警官隊とそれに対してデモをする国民との間で血を見るような惨劇があったわけです。それがわかっていてわざわざその日に即位を決めたのか。これには驚きました。それに思いが至った人はいなかったのでしょうか。あ、そうかとか、そんなこともあったかとか、教科書に書いてあったなって言っている程度です。現実にはその程度の歴史認識で実は五月一日が決まった。

でも決まった以上しょうがないとか、四月末からのゴールデンウィークと一緒に一〇日間休みになるから、これは観光奨励にちょうどいいとか。日本は今観光奨励をやっていますから、そのときおおいに海外へ行ってもらえばいいと。しかし、海外へ行ってもらえばいいって言っても、その真ん中の日に即位を決めたわけでしょう。国民の皆さんに、即位はどうでもいいですからどんどん海外に出てくださいって言うんですかっていう話でした。たいしてまっとうな返事が返ってこなかったというのが正直なところです。ですから、これから後おそらく、政府の関心というのはますます薄くなる。

しかも、なるべく西暦を使おうということになるでしょう。官庁はみんな元号を使いますが、そうでないところでは今後一層西暦が使われるでしょう。すでに多くの会社は今ほとんど西暦です。それは、海外としょっちゅういろんな契約を結んだり、文書を取り交わしているところで、平成何年、なんとか何年というわけにいきません。グローバル化というのは、そういう意味では西洋の年号をどんどん増やしていく事態になる。その傾向は今後も続いていくと思われます。

天皇退位をめぐる歴史

さて、そこまでお話をして、じゃあこの明治一五〇年という長い歴史の中で、これまで天皇退位という問題が生じたことはなかったのか。これは、歴史ですから簡単に触れておきます。

さすがに、明治の時代にはそういう退位をしたらどうかという話はまったく起きませんでした。しかし大正に入り問題になったのは、退位ではありませんけれども、現実になかなか執務が難しくなった大正天皇をどう遇するかということでした。初めて摂政という問題が起こってきた。天皇は退位はできませんから、事実上天皇を代行するものとして、のちの昭和天皇がここでは摂政になった。この摂政になった昭和天皇と大正天皇との間に何が生じたかといえば、ものすごいストラグルです。大正天皇は明らかに昭和天皇、つまり自分の皇太子によって権力を簒奪されたと思った。公務に出ていきたい気持ちがあっても出ていけない。しかも、報道というのは無情です。摂政というのは基本的に天皇が意識不明、つまりきちんとした判断ができないと判定されたときに置くことになっています。ということは、大正天皇は元気になられたら困るわけです。だから、報道上は、大正天皇は日に日に弱っていくという報道になる。ところが天皇自身はそれを読んでいるわけです。ここはものすごいストラグルでした。ですから昭和天皇は二度と摂政制は嫌だと言いましたし、その事実を知っている今上陛下も摂政はやめましょうと言ったわけです。

次に退位の問題といいますか、天皇の位を生きている間に他の人に替えたいという事態、これは昭和天皇の時代にはずいぶん起こりました。なぜなら、昭和天皇はなんとなくおとなしいし、尚武的でないと。だったらもっと元気のいい弟君に位を譲られたどうか。秩父宮。この秩父宮の擁立運動というのは、軍人たちの、常に一つの目標でありました。ただ現実にはできないです。なぜならば皇室典範に、崩御制と伊藤博文が書き込んでしまったから、皇室典範を変えない限りそれはできない。そういうことなんですね。

その次は、敗戦です。敗戦で昭和天皇の戦争責任が出てくるわけです。その場合に、もちろん天皇を裁判にかけるという問題から、幅広にいろんな問題がありましたけれども、そこであったのは、やはり天皇はとにかく今の地位を降りるべきだ、そして隠居をすべきである。高松宮に皇位を譲って、高松宮が天皇になるということで、ある種の謹慎の意を示すというようなことも言われました。これもできなかった。なぜならば、皇室典範。ご承知のように、帝国憲法は大きく内容を変えて、戦後の新憲法に変わりましたが、そのときも皇室典範の内容は変わっていません。要するに、天皇の退位とかそういう問題に関しては一切手を触れなかった。だからこれもできないんです。

最後に残ったのは講和独立のときです。このとき日本の平和に対する意思を世界に表すために、天皇自らが退位をされて、それこそ今の天皇に地位を譲るべきだという話はありました。これは、総理大臣であった吉田茂が歯牙にもかけない。皇室典範以前に、吉田茂が、とんでもないと。退位なんかありえないということで、この話を吹き飛ばしました。そこで、退位問題はもう出てこなかった。昭和天皇が亡くなるときも、摂政は嫌だと言われましたが、退位なんて話は一切出なかった。それ以来、戦後七〇年を経て、その七十数年になったところに初めてまた退位問題が起きて、今度の場合はそれがあっという間に可決されるといいますか、実現するところまで来てしまったということになる。

明治一〇〇年の頃

平成が三〇年で終わるということが去年あたりから明らかになってきたところで政府は、明治一五〇年ということを言い始めます。今でも政府は、明治一五〇年事業というのを、各省、縦割りでいろんなことをやっております。ただ、あまり明治一五〇年は盛り上がってはいない。明治一〇〇年のときは今の安倍さんの大叔父にあたる佐藤栄作が総理で、このときは相当盛り上がったんですね。佐藤さんは長州の出身、まさに明治維新を遂行した側ですし。それに慶祝しないと、逆に当時でいうと左の側にやられる。なぜならば、当時まだ息が強かった左翼側の歴史学者たちは、明治一〇〇年は古臭い、それよりも民権一〇〇年だということを言っている。民権一〇〇年は、維新から一〇年遅くやってくる。だから、その前に、左翼に蹂躙されることなく明治一〇〇年を守らなければいけないというのが佐藤栄作の立場であって、したがって明治一〇〇年事業というのをいろんなところでやりました。

これには結構いろんな意味があったんだなということは、のちに私は放送大学で、日本各地にロケに行った際に知ることになりました。ロケに行くときに私は、ちょっとその土地の銅像を訪ねてみたいと思いました。昔の偉いさんの銅像が今はどうなっているか見に行こうということです。

長州で面白かったのは、ある市役所の駐車場の一角にあった、白馬にまたがる山県有朋の像です。陸軍元帥の山県有朋の像があるというので行ってみましたが、なかなか見つからない。役所の人に聞いても、ああなんか昔あったって言われているけど……みたいな話で、ようやくたどり着いてみると、駐車場のなかに、そのところだけ車が停まれないような、迷惑そうなところに建っている。周りの人に聞いてみると、こんな像があるから迷惑だと。これだれ？　とか言っている。山県有朋の像だと説明しても、だれその人？　みたいになる。ああもうこんなに忘れられているんだと思いました。

それから、山県有朋の像を作ったと言われているところに行って、村の人の話を聞いたんです。そうしたら、よく聞いてくれたと言われて、実に涙ぐましい、この銅像を守り続けたという話になりました。これはいつ頃作ったんですかと聞いたら、やっぱりどうも大正に入って、山県が亡くなる頃に我が村から出た山県元帥を顕彰しようというので、白馬にまたがる姿がいいだろうということで像を作った。それで、そこに置いておいた。しかし、今度はたちどころに、敗戦だ、民主主義だと言われる。そういうところが日本人の日和見主義ですが、これまで銅像をいいと思っていた連中もこれはまずいんじゃないか、軍国主義の象徴だ、こんなものをそのままにしておくと進駐軍に何を言われるかわからない。何とかしなくちゃ、壊そうといったってなかなか壊れないし、どうするか。そこで考えたのが、これも変な話ですけど、穴を掘って地下に埋めるという。防空壕を掘るよりはずっと楽だったと言っていますけど、これを掘って、みんなでよいしょと綱を引いて、山県元帥を倒して、土の中に埋めた。埋めてそこは一応、花壇にしたって言ってましたね。問題は、埋めたのはいいんですけど、これをいつ掘り出すか。一番いいのは、占領軍、進駐軍がいなくなったときだ、講和独立のときに、出したらどうか。しかし世は逆コースの真っ盛り。こんなもの今掘り出したら、長州はまた昔のことを言って何かしようとしていると言われるとまずいという話になって、見送りになった。そこで見送っちゃったものですから、これを元に戻す契機がない。

だから一番良かったのは明治一〇〇年です。明治一〇〇年事業の中にこの掘り起こしを入れてもらった。見事に、花壇をよけて出してやっと白馬にまたがる山県元帥が出てきた。ところが、どこに置いたらいいか。以前と同じ場所に置くと言うと、みんな反対。結局、公共の広場がいいと。それで持って行ったのが市役所の前なんですが、市役所も大迷惑。こんな白馬にまたがる山県元帥が自分たちのシンボルと思われたのでは困るというので、一番いいのは駐車場だと。当時まだ車はそんなにないです。駐車場の適当なところに置いちゃえというので置いた。だんだん駐車場が拡張していくにしたがって、そこにあるのが邪魔になってきたんですね。邪魔になっても壊すわけにもいかないのでいまだにあるという話でした。

白馬の元帥像もどんどんいろんなところが傷ついているし、崩壊しそうな兆しもあるけれども、どうするんですかと市役所の人に聞いたら、いや、補修費は入っておりません、市の費用ではそれは出せません、という答えでした。ということはこれは崩壊しますね。崩壊したらもうそれでおしまいです。要するに役所は、山県元帥の像が崩壊するのを待っているんですね。私は、銅像というのはもっと大事に扱われて、カーネル・サンダースのような話がいっぱいあるのかと思ったら全然なかったです。多くの銅像は、その後も聞いてみても本当に悲劇的運命をたどっているという感じがしました。

明治一〇〇年ってそんなことに役立っている。そうだとしても、明治一五〇年でそんなことが出てくるはずもなく、そうすると何かなということなんですが、明治一五〇年でちょっと息を吹き返してるのは、私が第二専門でやっている「権力の館」というものです。

これは、いわゆる総理大臣の邸宅であるとか、別荘であるとか、あるいは国会議事堂とかそういう公権力の建物。これがどういう変遷をたどってきたのか、あるいはそこにどういう動線があるのかということを研究しているわけですけれども、その見地から言うと、実は明治の顕官、明治の有名だった人たち、あるいは大正、昭和のそういう人たちの邸宅や別荘がどんどんなくなっている。当たり前の話ですが、それはどんどん売られていくわけです。特に一番大変だったのは大磯でありました。大磯は、伊藤博文の別邸であった滄浪閣《そうろうかく》がとっくの昔に売られちゃって取り壊し寸前。それ以外にもあそこはいろいろな財閥の別荘だとか、いろんな記念すべき建物があるんですが、これを維持するのは大磯町一つではどうにもならない。吉田茂の例の大磯別宅もあります。これは焼けちゃったんですけども、なんとか修復したい。大磯がもう一度観光の町として生き返るには、この残っている、まだ壊されるにはいたっていない、明治期の権力の館をどうやって保存するか。その保存の費用が明治一五〇年記念でボーンとついたんですね。

各地でこうした、放っておいたらおそらくもう全く顧みられなくなるであろう、かつての権力の館、歴史の館を保存し、できれば観光の資源にして人を呼び込みたいということで、そのための予算が今年はかなりついていてほっとしているところがあるというのですから、そういう点では明治一五〇年、意味があることをしていると思います。

三〇年で時代をくくる

それはさておき、明治一五〇年とあわせて、突然平成三〇年が来てしまった。ここのところ、また私のところにしょっちゅう電話がかかってくるのが、どこのメディアも、これからあと半年、来年にかけてやろうとしているのは、平成史を振り返る。何が平成だったのかという話なんです。この平成というのは、なかなかメルクマールがない。あっというまにITがとか、あっというまにSNSがとか、そういう通信手段などであればその変化についてたどることはできますけれども、全体として、平成って、この三〇年なんだったんだというのをきちんと追っていくことは実は非常に難しいんです。

そもそも三〇年でくるというのは極めて恣意的である。平成が三〇年で終わるからというわけですね。だいだい一〇年ひと昔といいますから、一〇年ぐらいのスケールで振り返るならわかりますけども、その三倍。どうしたらいいか。我々がいろいろ議論しているときに考えたのは、そういえば明治だって三〇年たったときにエポックメイキングなことがあったよね。昭和も実は三〇年ぐらいたったときにエポックメイキングなことがあったよね。特に政治の世界ではそうだったよねということです。大正は残念ながら一五年で終わっていますから三〇年はありません。大正が一五年で終わらなかったらというシミュレーションを今やろうとしているグループもありますが、今日お話しするには及びません。

なんとなく人為的な三〇年で区切ったときにどう見えてくるか。まず明治です。明治はそういう点でいうと極めてメリハリのある時代でした。明治の最初の維新が起きてから西南戦争までの一〇年間というのはまさに兵馬騒擾《へいばそうじょう》、いたるところで活劇が行われ、要するに刀がふるわれ、鉄砲が鳴らされ、大砲がドン。士族反乱とか、あるいはそういう武力を用いた反乱があり、農民もまた、いわゆる農民反乱を起こした。明治ゼロ年代はまさにそうです。しかもそれを迎え撃つ政府軍は、薩長土、つまり薩摩、長州、土佐の三藩が牛耳った。その藩兵しかないときにスタートし、やがては徴兵制を入れますけど、それがまだ具体的に動くようなところまでいかないという、本当に混沌としているのが最初の一〇年。実はこの混沌も最初の一〇年で一応終わり、次の一〇年でいよいよ国づくりだよねということをそのとき言った人がいます。それが大久保利通であります。

大久保利通は、維新の三傑の一人でした。維新の三傑は、西郷隆盛、木戸孝允、大久保利通。三人はほぼ一緒に亡くなります。まず木戸孝允が、もともと病弱でしたけれども、西南戦争の真っ最中に病気で亡くなり、そして西南戦争の終わりにはご承知のように西郷さんは自刃するわけですね。そしていよいよ生き残ったのは大久保利通だけ。

その大久保はこういう宣言をする。これから先はいよいよ統治の機構を立てて、殖産興業を盛んにしていく。そういう意味では本当の意味の建国の時代はこれからである。それを自分は担うと。そのときのやり方を、彼はいろいろ言っていますけれども、本来ならばこの国が明治維新以来目指していたのは立憲君主制の導入である。そもそも五箇条の誓文の第一条で、広く会議を興し、万機公論に決すべしと言ったのは政府の側です。つまり、会議を開いて、今日流に言うと、熟議をしてことを決めていく、これが明治維新の精神であるということを明治天皇が自ら言っているわけですね。ところがこの一〇年間、そんなことは一切顧みずに政府はやりたい放題やってきた。でもそれはしょうがないと大久保は言います。原則はあくまでも立憲政治である。しかし立憲政治はそれを導入するのにも運転するのにも時間がかかりすぎる。だから当面は変則でいく。その変則はとにかく有司専制と言われようと、何と言われようと、のちの言葉でいえば開発独裁ですが、やりたいように自分たちにやらせてもらう。ある程度の富国強兵が実現したところでそれは原則に戻していく。だからこれからの一〇年はその原則を立てながら変則で進んでいく。それが彼にとってのこれからの一〇年だったわけです。彼の見通しは正しかった。その一〇年ののちには間違いなく原則の時代が来ると彼は言ったわけですから。彼としては明治を当時三〇年で予測した。ところが時代を予測していた大久保も、残念ながら自分の運命は予測できなかった。今言ったようなことを、実は当時彼の部下である、ある県の県令に朝、役所に出る前に語り、出たとたん紀尾井坂で見事に彼は切り殺される。つまり自分の命はそこでなくなっちゃう。

ただ、今日の日本政治と違って、当時は人材がいました。維新の三傑がいなくなっても、それを支える伊藤博文であるとか先ほどから言っている山県有朋であるとか、あるいは井上馨、松方正義等々の人材がその後を継いでいくことができた。これが大きい。だから、変則政治なんですけれども、そこに原則政治を打ち立てるための考慮が加わった。

明治一四年に政変が起きますが、このときに天皇は一つの詔を出す。それは一〇年後に国会を開くという、国民に対する約束でした。これは今日考えてみると、あてにならない約束です。一〇年先っていうのはほぼ何も言わないのに等しい。事実その後の開発途上国を見てみると、だいたい独裁国家が議会制を約束する、何年に国会を作る、みんな嘘です。途中でまたクーデターが起きたりしてやらない。ところが明治政府というのは、律儀。この一〇年というのを絶対に守らなければいけないと思う。一つは国民に対して約束したから。もう一つは海外の目がある。アジアで最初の立憲君主国家になると宣言した以上、外に対して変なことはできない。この両方のまなざしが自らを抑制することになる。一四年の政変から五年後に統治制度の核になる内閣制度をつくりあげる。そしてそのあと明治二二年に帝国憲法を公布する。二三年には帝国議会が成立するというふうに進んで行く。

でもお考えください。そんなに早く制度を導入してそんなに早く民主主義になる、あるいは議会主義になる、そんなことができるだろうか。これは当然海外の人たちもそう考えるんですね。だから日本から海外の制度を勉強に行った当時の明治政府の役人たちは、皆壁にぶつかって帰ってくる。ところがぶつからない人もいるんです。それは陸奥宗光という人でした。陸奥宗光は紀州の出身で、いったんは反乱を起こしたりして獄につながれますが、獄から出てそしてヨーロッパに勉強に行く。彼ほどヨーロッパの事情に詳しかった者はいないと言われています。きちんととった原語によるノート、それを翻訳したノートが今金沢文庫に残っています。あれを見ると、ここまで理解しているのかというぐらいすごい。その彼が自らの先生に尋ねます。お国では政党政治と言っていますけども、政党政治による政権交代ができるようになるのにどのくらいかかりましたかと。その先生は二〇〇年と答えた。二〇〇年と聞いて、普通だったらそれはもう自分の国では到底できないなと思う。陸奥はそうは考えなかった。その二〇〇年をわが国では二〇年でやらなければいけないと考えた。大丈夫かという感じですけれど。世の中の人は、この陸奥の説得に乗るわけです。そうかうちは二〇年でやらなければいけない。

これを見ていた当時のお雇い外国人であるエルヴィン・フォン・ベルツは書いています。日本は非常に危ういことをやっている。近代化へ近代化へと言っているけれど、これは死の跳躍。跳んでいるうちに脛骨を折るに違いない。それはそうでしょう。二〇〇年かかると言われたのに二〇年でやりますと帰ってきたのですから。

明治の三〇年

しかし現実には、一〇年後の国会開設、見事にやりました。約束を守った。薩長土に肥前が加わった藩閥政府といわれますけれども、じゃあその明治憲法のもとで置かれたいろんな制度が全部薩長土肥の人間で占められたかというと、そんなことはありません。そんなに人材はいない。だから、薩長政府が次にやったことは、明治憲法のもとにずらっと並んだ制度機構を次から次へと明け渡していく。

例えば内務省。内務省は長州が一番力をふるったところと言われていますけど、地方官は違う。当時の県令、今でいうと知事ですが、この人たちをどうしたか。自分たちの藩のたまたま出遅れた武士たち、つまり彼らは下級武士ですから、もうちょっと上の武士たちは出遅れていましたので、この不満分子をそのまま地方の県令にして、さらに足りないところは薩長土肥以外からの、これはできそうだと思うような他藩の連中を全部そこに充てていく。昔の県令に任期はありません。もちろん民選でない官選ですから、中央政府が派遣すればいい。彼らが、昔の藩主と同じようにこの県のために頑張った。という話が出ているぐらいに、当初は一〇年も県令をやったりしています。とにかくこの地方官は開放する。次に開放したのはどこか。これは裁判所です。裁判所の裁判官は薩長が手を回すゆとりがなかった。ここには全部旧幕府あるいは弱小の藩であった人とかそういうのが、皆動員された。もう一つ明け渡したところがある。それは後で申し上げます。

彼ら、薩長土肥の人間が主として占めたのは、まず議会でいうと貴族院。それから天皇のおそばである枢密院。そしてなんといっても軍事力が大事ですから軍に関しては、陸軍は長州、海軍は薩摩がおさえる。そして多くの官僚たちもその上のほうには薩長の連中をもってくる。これが彼らにとっての有司専制の限界なんです。

そこで一番開けちゃったのが実は衆議院。どこの国に、最初に議会を開いて政府党を持たずに選挙に臨む政府があるでしょうか。明治政府はついに政府党を作って政府党が過半数をとるということをしなかった。全部野党に明け渡した。民党の連中は、これで自分たちに居場所を作ってもらった。いよいよ議会制が機能する一八九〇年代というのは、明治政府と民党、すなわちこれまで武力でもって士族反乱を戦ってきた連中が、今度は言語力、言葉で戦うようになった時代です。そういう点からも明治三〇年あたりは議会というものが整って統治の形が完成した時期といえるでしょう。

いろいろ調べてみましたけれども、明治政府はたしかに与党を作ろうとした。特に陸奥宗光は与党を作らないで戦うなんていうのは本当にもうだめだと何べんも言っています。だけども山県とか伊藤は全然そんなことを思わない。この人たちがまた非常に楽観的だったのは、そういう場所には天皇の存在、あるいは天皇が詔勅を出せばみんな畏れ入るからそれで通るだろうと。しかし、現実には通らない。それがその後の議会を非常に激しい争いの場にしていくわけです。

ただもう一つここで、明治三〇年、明治一五〇年の中の明治三〇年で言っておきたいのは、第一回総選挙。これは模範選挙と言われました。何が模範選挙なのか。要は、西洋の国が我々を見ている。ここで選挙違反をやったらたちどころに叩かれる。だから、その後はしょっちゅうあった選挙干渉を第一回の総選挙ではまったくやらなかった。これは有名です。これで各国はみんな安心する。ああ日本に、何とか、よちよちでも議会制っていうものが成立するんだなということです。その後は、日本人はこれもまた日和見ですから、海外の目が届いていないということがわかると、二回目からは激しい選挙干渉をやるんです。そこは報道されない。

戦争もそうです。日清戦争というのは、日本がいわゆる国際法規をほぼきちんと守り切った最初で最後の戦争でした。これもまた西洋の目が見ている。帝国主義戦争を日本がやろうとしているが、清国に対して絶対汚い手を使うに違いない。そもそも日本人は野蛮だから、国際法のルールなんか守らないぞ、そう言われていることを認識して、国際法のルールをできる限り守ってあの戦争を遂行したわけです。だからこの場面でも西洋諸国は、日本はここまで来たかということで、脱亜入欧という一つの道が開けたということになりました。

今お話をしたように、明治って不思議な時代なんです。全部を明治政府で占めなくてもそうやって効率的に運用していくことができた。ただ、明治も三〇年たったときに、さあ二〇世紀の政治はどうするか、みんな考えました。このときに、初めて明治の藩閥権力というのは、政治的権力としては分裂をします。

ひとつは政党重視の方向です。もう民党と協力して、その民党をいわゆる統治の政党、つまり権力と妥協し権力を行使できる政党に変えていかない限り政治ができないと考えたのが長州の伊藤博文。民党側は、自由党の流れを汲む星亨。この二人。つまり政府が分裂して片方の伊藤閥と、それから星が率いている民党が協力することによって、明治三三年、まさに三〇年たったところで立憲政友会が生まれる。もう一方は、この立憲政友会が成立したのと対照的に、この時期に山県有朋のもとに、官僚閥、軍閥が集まって、これは強固に、あくまでも政党政治に反対する勢力を作りました。

これが明治三〇年前後にできあがるいわゆる桂園体制と言われるものになります。山県の後は桂太郎が襲い、そして伊藤博文のあとの立憲政友会の総裁は西園寺公望が襲う。そうするとこれが相互に政権交代をしていく。桂、西園寺、桂、西園寺、桂、五代にわたる内閣はこれで一〇年、ある種の安定政権をもたらすことになる。本格的な政党政治ができるにはそれからさらに一〇年を待たなければならない。ですがその前に桂園体制と言われるある種の秩序の安定した体制というのがこのときに成立した。明治三〇年がもたらしたものというのが、そうした安定的な政治体制であったということが言えるわけです。

昭和の三〇年

次に三〇年を輪切りにするのは昭和の時代になる。昭和一〇年、この辺のところは政党内閣からだんだん軍閥が跋扈《ばっこ》して、そして昭和一〇年代というのはまさに戦争の時代。まず二・二六事件が起き、さらには日中戦争が起こり、日米戦に入り、そして敗戦までというのがこの一〇年代。兵馬騒擾というのは昭和にあってはこの一〇年代がそれに相当する。そして敗戦と占領。いわゆる明治二〇年代に相当する昭和二〇年代。二〇年たったところで実は明治国家、つまり明治以来続いていた日本国家は崩壊し、それが民主国家日本に引き継がれていく。昭和二七年に日本は講和独立をしますけれども、しかし政治体制としては決して安定しているものではない。吉田茂の民自党政権は続きますが。

吉田茂というパーソナリティは、日本の戦後政治を率いていくのには非常に不幸なパーソナリティでした。なぜか。一番彼が得意としたのは、そして彼がやれなくて非常に悔しい思いをしたのは、戦前の宮廷政治を動かすことにあった。つまり彼は、外務官僚からやがては総理大臣を一度は務めて、その後は内大臣とか、あるいは枢密院議長といった地位を占めて宮廷政治を牛耳ることが夢だった。だけども彼は広田内閣のときに外務大臣につくことすらできず、いわゆる親英米派として追放される。戦前はまったく思いをとげられないまま戦後に至る。

そして、戦後彼が迎えられたのは、まったくの皮肉ですけれども、宮廷政治を牛耳る立場ではなく、むしろ彼が好んでいなかった政党政治の運営の中での保守政党の総裁という立場であった。選挙すら嫌だと言った人です。だから彼は、地元の高知の選挙区に一度も帰ったことがない。全部代理人が行って彼のために応援をし、彼は当選をする。今では考えられない王様選挙。とんでもない話ですね。とにかく彼は代議士が嫌いなわけです。戦前の政党政治を見ていて、代議士というものは金に汚く、地位に汚く、嘘を平気で言う、そして何よりも無礼な奴……。これが彼の認識です。ところが戦後は、今言ったように宮廷政治などできるわけがない。彼はその最も嫌っている政党政治家たちの上に乗っからないと政治運営ができない。そこで彼がやったのがのちの高度成長を支える官僚たちをどんどん自分の配下から選挙区に立てて、そして彼らを自分の味方につける。政党政治家が本当に嫌いなんです。鳩山一郎が嫌いだったのもやはりそれに一理ある……。こういう政治家のもとで民主主義の世界が開かれた。

そうすると、いよいよ昭和三〇年が来るころに日本の政治は行き詰まります。まず吉田の民自党が分裂する。これも支配政党が分裂するところから起きる。そして鳩山の民主党というのができあがり、三〇年の総選挙で鳩山が勝つ。この昭和三〇年に社会党は統一し、これに対抗するために保守合同、すなわち自民党ができるわけです。これで両政党が、なかば対立しながら、なかば談合しながら続いていくいわゆる五五年体制というのができあがった。やっぱり三〇年ぐらいたつと、こんな形での政治的安定が訪れるんだねっていうのが、三〇年で切ったときに見えてきた姿でした。

平成の三〇年

さあそれでは最後、平成の三〇年はどうだったか。これ見えてこないんですよね。平成の政治の中で一番大きいのはやはり細川政権のときの政権交代。つまりあそこで明らかに自由民主党はいったんは野党に下る。それからもう一つは、例の民主党政権ができたとき。このときも自民党は野党に下るわけです。

そして今、永々として安倍政権が続いている。いろんな理由はあると思いますけど、この安倍政権がずっと続くと思っている人はいない。そしてこの安倍政権がいろいろな問題点を抱えていることもわかっている。しかしその先が見えない。これはどうしてか。明治のあるいは昭和の故智にならっていうならば、もし変化を起こすのであれば、与党つまり支配政党である自民党の分裂がない限りこれは動きません。野党はもうほとんどない。ですからこのない野党がいくら分裂しても、いくらくっついてもこれは政治の大勢に影響はない。とすると、じゃあ自民党は分裂しますか。分裂の兆しはまったくありません。

これはなぜか。六年前にとにかく野党にあった自民党を与党に引き戻してくれた安倍晋三、そして同時に戦後憲法上初めて総理大臣としてカムバックした安倍さん、彼に対してだけは弓を引けないというのが今の自民党の構造的特質です。彼は恩人なんです。自分たちを救ってくれたと。彼はそれがわかっていますから、絶対に後継者を作りません。逆に言うと彼は自分がいなくなったあとのポスト安倍についての何ら構想を持っていない。これは明治三〇年前後に、伊藤博文がとにかく星と一緒になって支配政党を作ろうと考え、そして昭和三〇年に、政友会・民政党以来の対立があることがわかっていながらこの両政党が保守党として合同しない限り支配政党にはなれないと考えていたことと比べると、全く構想がない。安倍一強と言いますけど強いわけではない。安倍しかいないというだけです。あとの人が手を挙げない。

石破茂さんという人がいます。私の番組にもよく出てくれます。この石破さんに、とにかく手を挙げてくださいと私たちが言います。そうするとやめてよそんなと。なにがやめてだと。要は、自分は手を挙げるときには挙げる。いつですか。安倍さんがやめると言ったらすぐ手を挙げる。現職の総理がやめると言ってから手を挙げて、総裁になった人は今までいません。つまりこれまでの自民党の総裁っていうのは、今いる総理に対してノーをたたきつけて手を挙げて、そして政権を奪っていたのにそれが今は見られない。つまり政権を取ろうという意欲もない。安倍さんからするとだれを後継者にしていいかわからない。それが平成三〇年の状況である。これまでと違って、次の体制がともかく一〇年ぐらい見えてくるような動きがないということです。

これから先は全くの想像ですけれども、おそらく安倍さんが考えているのは、彼がかなり若い総理大臣であるがゆえに、もし三選になれば、彼と彼の上下《うえした》で総理候補といわれているような人たちを候補から消していくということではないか。オリンピックが一つの節目です。オリンピック後の政治の世界を考えたときに、もし安倍さんがやるとすれば、自分と自分の世代の大幅なパージです。もうあなた方に用はありません。六〇代で総理はもう自分で最後。これからあとは、もっと若い人にやらせましょう。そのパージを考えているとしたら、今の彼のやっていることはそうかとうなずけるんです。そんなことまであの人が考えているとは到底思えないという意見もあるんですけども。そういう状況下に今あります。

平成三〇年は、これまでの昭和三〇年や明治三〇年と違って、天皇陛下自らが三〇年で終わりだよと宣言された。初めて陛下が三〇年で終わりだよと宣言したときに、さあ我が政治体制、我が統治体制はどういう具合に次を約束してくれるんだろう。非常にミゼラブルです。選挙制度がいけなかったとかいろいろ言ってますけども、しかしともかく、次の体制が生まれて出てこないということだけは現在確かである。

高村正彦さんという副総裁がいます。この人もなぜいまだに副総裁なのかがわからない。彼はもう議員ではありません。前回の選挙で息子に譲って引退をしました。引退をした人がまだ自民党の副総裁である。その話をしたら、いや先生、自民党の党規を見ると副総裁は議員でなければならないとは書いてないですよと。いやそれはそうだけど、それを決めたときに、議員以外が自民党の役職につくっていうのはだれも考えてないから当たり前の事項として書いてないんですよね。でも高村さんが再任された理由は、非常に彼は法律的答弁がうまい。別のやつに代えて失敗したら嫌だということがあります。だからだれも反対しません。引退して両院議員総会にすら出られない人がなんで副総裁をやっているのか。矛盾です。でもそういうことを続けているのが今の安倍政治です。安倍さんはとにかく続けられるものは全部続ける。新しい人はなるべく採用しない。ボロボロになってもそれでやっていく。最後は自らが倒れるところまでそれをやりますという印象があるわけです。

以上、今日最初に申し上げましたように、今上陛下が自らの地位を退きたいという一言によって千波万波が生まれている。それがまだ及んでいないのは政界だけであります。この政界がどういうふうに変化していくのかなということを、私は心待ちにしているわけですけれども。今上陛下の退位という思わぬ流動的事態にあって、これまでなら、明治三〇年、昭和三〇年と元号に見合う三〇年で一応安定した体制が政界にも成立したのですけれども、平成三〇年にはついに生まれそうもありません。崩御制原則の天皇の永遠支配にピリオドがまがりなりにも打たれた今、むしろこれまで次から次への交代劇を良しとした総理大臣のほうが否が応でも一人の総理による永遠支配へのそぶりを見せていることに、いささかの感慨なしとしません。ちょうど時間であります。ご清聴ありがとうございました。

ポスト平成とは何か

講演＝一般社団法人日本綿業倶楽部茶話会　二〇一九年二月一九日
初出：日本綿業倶楽部発行『月報』第七九八号、二〇一九年四月

昭和と平成

本来ならば立ってお話をすべきところ、昨年病気をいたしました関係で腰の調子があまりよくないものですから、申しわけありませんが、きょうは座ったまましゃべらせていただきたいと思います。

さて、間違いなく平成三一年四月末には平成という元号の時代が終わって、恐らくもう決まっていると思うのですが、新しい元号の時代が五月一日から開けてくる。そうすると、平成というのは一体何だったのだろうかということになります。私自身が今上天皇のご退位ということに関する有識者会議に割合深くかかわりましたので、平成という時代を終わらせる役割をある意味で担ったのかなというふうに思っています。

ただ、正直に申し上げて、元号の問題が、あるいは元号に象徴される明治、大正、昭和、平成、そ

して次の元号、これらがこれほど世の中で話題になるとは、私自身も不覚だったと思いますが、元号というのは消え行くものだと思っておりましたので、新しい天皇が生まれるという時期にこれだけ言われるようになるとは思いませんでした。皆さんもご承知のように、明治、大正、昭和と来て、特に昭和の後に平成という時代になったときに、やはり西暦に合わせようという動きが結構出ました。役所はそれでも平成という元号で頑張りましたが、もうそこからは一切西洋暦を使うと言う大学も出てきました。したがって、平成という言葉と時代とのつながりがだんだん薄くなってきていたというのが基本的にはあると思います。

昭和というのは、これはこれで忘れられない元号です。戦争と平和の時代。昭和の初めは戦争の時代でしたし、それから後は平和の時代でした。そういう意味では、この昭和という年号で語られる内容は実は非常に多かった。昭和が終わるときに、私も随分いろいろコメントを求められた覚えがあります。

平成というのは一体どういう時代だったのだろうか。おもしろいことに、今上天皇が退位されることが決まってから後、平成とは何であったのか、平成の三〇年とは一体どういう時代であったのかという振り返りが、メディアあるいは学会でもそうですが、急速に見られるようになりました。これが意外だったのは、これまでの元号が変わるとき、もちろん明治から大正のときと大正から昭和のときとは違いますが、昭和から平成のときは、前の時代が終わるのだということはすごく言われましたが、新しい時代がどういう時代であるかということについてはほとんど言及がなかった。ところが、この三〇年、実は随分変わっていたのです。しかも、メディアなどで「平成とは何か」と言うときには、まず間違いなく「平成って結構よかったんじゃないの」「いい時代だったんじゃないの」という価値観が込められている。果たしてそうでしょうか。

今上天皇が退位をされて元号が変わるということがなければ、平成について問われることはあまりなかったのではないかと私は思います。特に政治の分野で言えば、平成の時代は「政治改革の時代」と言われながら、西暦で言えば一九九〇年代以降、平成のゼロ年代以降ずっと続いてきた政治改革が最終的に今の姿になった。つまり、「二大政党制」「政権交代」「小選挙区制」、この三つによって日本の政治はよくなるのだと言われていたものが、最終的に安倍晋三首相の自民党・公明党連立政権が六年続くという状態でこの平成を終えようとしているわけです。それは恐らく、平成の最初にみんなが考えた政治改革とはおよそ遠い方向に行ってしまった。

それでは、経済はどうか。バブル崩壊もありましたし、平成になってからいい時代がなかったとは言いませんが、間にリーマンショックなどもありました。いろいろありましたが、経済については、基本的に日本はこれから後そんなに目覚ましい成長を遂げるようなことはないのだという感覚がついて回りました。それまでのような青天井の高度成長はないという時代にだんだん入っていきました。

それから、社会的に言うと、これは最近もそうですが、世の中を騒がせているようないろいろな問題が起こってきました。それに加えて、平成ほど自然災害が多かった時代もありません。

不思議なことに、昭和という時代は、戦前までは結構いろいろな自然災害がもたらされたのですが、戦後、伊勢湾台風あたりで物すごく大きな――何を大きいと言うかは別として、自然災害は科学技術の力で大体乗り越えられるという発想に変わってきました。科学技術関係の大学生を多く募集するようになったのも、伊勢湾台風の翌年、昭和三五（一九六〇）年以降です。つまり、何かまずいこと、悪いこと、自然科学的にも起こってはならないようなことは絶対に科学技術の力で埋めていくという背景がありました。

これが象徴的だったのは、最近はもう古い言葉になってしまいましたが、いわゆる「公害」というのが喧伝された時代です。これが昭和三〇年代の半ばから昭和四〇年代ぐらいまでずっと続いたと思います。この公害の時代に、四日市あるいは田子の浦などいろいろなところでヘドロが出たり、あるいは汚染された空気が出たり、いろいろな問題があったのですが、実はこれを全部科学技術が解決したのです。科学技術の発展によって生まれた公害が、さらにそれを上回る科学技術の力によって解消されていきました。

あのころ四日市は空もどんより曇っていて、「四日市公害」と公害の象徴のように言われた。今でこそそんなことは誰も言いませんが、あのとき訴えられた会社側が記者会見をして何と言ったと思われますか。会社側は「これが科学技術というものだ。公害をも引き起こすのだ。しかし、それを上回って我が社はいいことをやってきた。だからこれぐらいは目をつぶれ」と。今そんなことを言ったら、会社そのものが潰れます。しかし、そういうことを言って応答しているうちに、現実に四日市公害はなくなっていったわけです。

今、市の歴史を書いた読本みたいなのをどこの市でも出しますが、ほとんど四日市公害の記述はありません。四日市にも公害なるものがあったけれども、これはその後の科学技術の力によって完全に四日市は駆逐したと書いてあります。それを読んで唖然とする人は多分たくさんいると思いますが、今なら人災ですが、当時は自然災害も含めて、科学技術の力でとにかく抑えるという考え方でした。結局それがどうなったかというと、平成の世の中になってから結構自然災害が増えた。一番象徴的なのは平成七（一九九五）年の阪神・淡路大震災で、その後には平成一六（二〇〇四）年の新潟県中越地震もありました。さらには平成二三（二〇一一）年に東日本大震災があって、三年前の平成二八（二〇一六）年には熊本地震があった。しかも、震災だけではない。毎年毎年夏に大洪水が起きて、山が崩れ、そして川が氾濫する。

こんなことは昭和の後期にはついぞなかった。今でもニュース映画が残っていますが、それで洪水が発生して大変だったというのが記念碑的に残っているのは伊勢湾台風が最後です。戦後すぐはしょっちゅう川が氾濫しましたから、そのニュース映像は残っていますが、それから後はない。ところが、今言ったように平成の時代というのは自然災害が起きる、そういう時代になってしまった。だから、今私が取り上げた事項だけを見ても、「平成というのはいい時代だったね」という総括を実はなかなかしにくいというのが、私がふだん思っていたことでした。

しかも、平成を振り返るなどということはなかなか言えない。昭和を振り返るというのも、陛下（昭和天皇）が亡くなって初めて言えたことであって、それまでは陛下が亡くなるというと、もちろん新聞報道は出ますが、次の時代がどうなるか、この時代はどうだったかということを検証するにはあまりにも生々し過ぎた。しかし、今度は違うのです。これに気がつかなければいけなかったのです。

崩御制原則

つまり、今までは一世一元で、これは伊藤博文が決めたと言われていますが、しかも天皇陛下は崩御されない限りその地位を退くことはできない、これを「崩御制原則」といいます。この崩御制原則で明治、大正、昭和とやってきたわけです。そして、日本をかなり大きな政治変動から守ってきたのは、実はこの崩御制にあったのです。

つまり、どんな時代にでももとは言いません。大正天皇のときも多少そういう問題がありましたが、特に昭和天皇の最初の時期は、昭和天皇に対する政界や官界でのいろいろな不満等々が民間にもありました。弟宮の秩父宮雍仁《やすひと》親王を天皇に立てようとか、あるいは敗戦のときにはさらにその弟宮である高松宮宣仁《のぶひと》親王を天皇にしたらどうかとか、そういう天皇陛下を取り替えるといった発想が、さすが明治から大正、昭和と来ると話題に上りました。結構それが新聞ダネにもなったり、ブラックジャーナリズムに取り上げられるような状況になったわけです。しかし、それは決してできなかった。どうしてか。皇室典範に崩御制原則が書かれているからです。

敗戦のときに、陛下は責任をとって今の地位を退くというわさが随分出ました。宮中の中でも責任説というのがあったのですが、最終的にこれをとどめたのは何かと言えば、今申し上げた崩御制原則です。憲法が変わろうと、日本は大日本帝国憲法からいわゆる現行の日本国憲法に変わったわけですが、天皇の地位の交代というのはずっと崩御制が当たり前だと思ってきた。もう我々もみんなそれが当たり前だと思っていますから、そう信じてきたわけです。ですから、平成の世の中になってもそうであるとみんな思っていた。

そこへ突然、今から三年前の平成二八年、西暦で言えば二〇一六年、陛下が退位のご意向を示されて、しかもそれをビデオメッセージとして国民に流された。これは衝撃的でした。

私は間もなく政府からの依頼を受けて、「天皇の公務の負担軽減等に関する有識者会議」という名前の、要は天皇の退位をお認めするかどうかということを審議する有識者会議で、元新日本製鐵社長の今井敬座長のもとで座長代理を務めました。審議は半年以上かかりました。

このときに思ったのは、何をよりどころにするかということでした。つまり、これまで崩御制原則が当たり前だと思っているから、退位などが行われるということについてのシミュレーションができていない。どうなるのだろう。これは認められるだろうか。厳密に言うと、天皇陛下がご自分の意思で地位を退かれるというのは明らかに政治的行為に当たる。政治的行為に当たるということは、天皇のことを規定した憲法に違反する。違憲であると言われてもしようがない事態でもあり得る。そういう中でどう考えたらいいのか。

結局私たちが考えたのは、これは国民の総意にのっとっているという形をとらなければだめだということです。幸い、当時日本のメディアはすごかった。「陛下がご高齢により退きたいと言われているが、これを認めるかどうか」と全てのメディアが世論調査をした。すごかったですね。圧倒的、九割がそれに賛成した。「陛下、私たちは陛下も年をとられているということに気がつきませんでした。申しわけありません。どうぞお休みください」と、これが九割です。もうこれを根拠にするしかないと私は思いました。国民投票のかわりです。九割と言えばもうほとんどですから、これを軸にしながら陛下のご退位について考えていったわけです。

そのときに私がもう一つ思ったのは、陛下もご高齢になれば、当然公務に対して困難が生じるということです。これは当たり前のことだったのです。ところが、日本国民の多くはそれを忘れていた。なぜでしょうか、それは昭和天皇はあんなにお苦しみになっても、天皇の地位をずうっと続けられたわけです。崩御制の原則というのがあまりにもみんなの頭に残っていたからです。しかし、今回のビデオメッセージでおやめになると言われてみれば、これもコロンブスの卵なのです。

メディアとともに歩まれた皇室

昭和天皇当時よりも、もともと今のご皇室、特に今上天皇と美智子妃は、ご成婚のころからメディアというものに支えられてきました。もちろんメディアに傷つけられもしましたが、「世紀の恋」と言われ、そして美智子妃が平民から皇室に入ると言われた昭和三〇年代のあのときに、多くの国民が一斉にテレビを買ったと言われます。あの時代以来、女性週刊誌にバッシングされたりいろいろなことはあっても、両陛下がメディアとともに生きてきたことは間違いありません。つまり、メディアが報道してくれなかったら、天皇の存在をここまで国民のみんなが知って、そして「どうぞお休みください」と言ったかどうかは甚だ疑問です。

ずっと千代田のお城の中にいて、そしてほとんど外に出ない、中でお祈りだけしておられるという天皇であったら、恐らく続かなかっただろうと思われます。そうではなくて、積極的に外に出る、そして何かしているところをとにかく国民に知らせる。それが、陛下が三年前のビデオメッセージでおっしゃった「象徴としての務めというのを自分は考えてきた」ということです。それはやがて祈る行為として、戦災地に行かれる。戦災地も国内だけではない、海外の戦争が起こった場所にも行かれる。のみならず自然災害も、もうとにかく陛下ご夫妻は何かあるとすぐにそこに飛んで行かれる。そして話を聞かれ、そこでお祈りをする。これが定番になっていく。それがまたメディアによって報道されることによって、ある種の象徴のお務めとして固定化されていった。これが平成の時代であったような気がします。

ですから、陛下自身、おやめになるというメッセージを出されるときに、多分これに国民の多くが賛成してくれると判断しておやりになったと私は思っています。

この問題からもう一つ難しいことを言いますと、なぜ陛下がご自身の高齢化と、それからその高齢化による行為が国民の前に出てしまうということについていろいろと気になさったかというと、これもまた科学技術の発展によるところが大きいのです。つまり、最近のテレビをごらんになる方はわかると思いますが、昔のテレビのように何となくぼうっと見えるというのではなくて、粒子の一つ一つまで細かく映し出されます。しかも今、陛下の番組はすごく人気があります。陛下が何をされているか、どこへ行って献花をされるとか、あるいは祈られるとかという場面になると、これをそのまま映像化します。その映像をじっと見ているとわかりますが、間違いなく陛下の手は震えておられる。それから右足、左足を踏み出すときに、やはり躊躇されたりしていることがある。さらには、何かをお読みになるときに、最初からお読みになれないで途中からふと目が行ってしまうことがある。そのような現象は、残酷ですが、今のテレビには粒子が細かくなった分、全部映るわけです。ご本人はそれをずっと見られていますから、多分、高齢化によって「これはもういかん」ということをご自身が一番思われたに違いありません。

ですから、退位ということに、つまり「私も皆さんと同じように年をとるのです。年をとれば公務ができなくなるのです」という話につながっていったのだと私は解釈をいたしました。

例外規定としてのご退位

安倍政権も、そういうご意向が非常に濃厚でありましたから、陛下について、いわゆる一般法である皇室典範の改正ではなくて、特別法で今の陛下に限ってお認めするという方向で決着をつけることになりました。正直申し上げて、これには反対論が物すごく多かったです。なぜ中途半端なことをするのか。なぜこの陛下にだけ認めるのか。今の陛下に認めるのだったら、今後、崩御制原則を変えて、要するに皇室典範を変えて、状況によって天皇は退位できるということを入れてもいいのではないかと、そういう議論も随分ありました。しかし、我々がそれをとらなかったのは、それをやっていたら必ず混乱が起きて、一年間で退位が実現するところまでは絶対に行かないと思ったからです。今回のものでもいろいろなところからいろいろなことを言われましたから、ましてこれを恒久化するというところまではできなかった。つまり、崩御制原則の例外として今回陛下についてお認めするという形でない限り、こんなに早くご退位の実現はできなかったと、私は今でも思っています。

ただ、原則論から言えば、これは問題を含みます。つまり、崩御制を原則にするということを安倍政権はあくまでも建前にした。要するに、例外規定として現天皇のご退位を認めるという話にしたわけですが、これはある筋からすれば、おかしい、どうして今の陛下だけそういうことができて今後の陛下はできないのかと、こういう疑問も出ました。それで結局、間違いなく今回は例外規定である。例外規定であるけれども、次に同様のことが起きたときに必ずこの例外は参照される。そして、場合によっては次にまたご退位ということが起きるかもしれない。そうしてご退位ということが重なっていくという現実があれば、崩御制原則でありながら、本来は例外として認められる一代限りというのが慣習法化して、これもありうるという話になっていく可能性はあるのだというのが、我々がそこでとった解釈です。今でもそういうやり方はよくなかったと言われる方もありますが、そのような背景があり今回にまで至ったということです。

より積極的に行動される皇室に

そうすると、先ほど来言っているように、平成を振り返るということがたちどころに始まった。これが、私が「そんなに始まるかな」と言ったさっきの話とつながります。平成は、私自身もそんなにいい時代だったとは思っていませんから、振り返って何か出てくるのか、これが不思議なのです。やはり今上天皇の効果というのはこんなに大きいかと思います。あの不幸な戦争、そして同じく不幸な自然災害、これを陛下がお見舞いに行く、あるいはお祈りに行く、このお姿がテレビに映し出されることによってみんなが癒される。自然災害が起こったことは大変だったけれども、陛下の象徴としてのお務めがそれを癒したのだというように、だんだん話がそういった方向へ行くわけです。

政治について、経済について、さすがにそういう話は今のところ出てきませんが、少なくとも天皇・皇后両陛下が「象徴としての務め」と自ら言われたこと、これを平成年間におやりになったことはまず間違いありません。それは非常に積極的な皇室の行動であったということがだんだんみんなに認識されてくることになりました。

最近、新聞やテレビの特集番組などでも、実は平成というのはこういう時代であって、こんなものが生まれていたよとか、こんなものが発明されていたよと。それ以前のように、日本全国でこれがはやった、あれがはやったという話ではなくて、ごく一部の発明・発見であっても、平成の時代にはこういうものがあったのだという形でどんどん報道されるようになりました。

平成から次の時代に変わるときの雰囲気というのは、昔のように極めて厳粛な、前陛下がお亡くなりになったということがないわけです。今回は、天皇陛下も極めて喜んで退位されて上皇になられる。しかも、今度は上皇陛下としての活動が始まる。そして、今の皇太子様の弟君、秋篠宮文仁親王が次の天皇になるという順番まで決められて、上皇、天皇、そして皇嗣《こうし》殿下という、この三代がこれから皇室のいわば象徴として、もちろん天皇が象徴ですが、皇室全体としては非常に能動的に国民の前にあらわれるようになるということだと思います。

今の天皇陛下のご在位三〇年の記念式典をこれだけにぎにぎしくやるということが、やはりそういうことをお祝いしたいという気分になっているということに私はつながるのだろうという気がしています。

ポスト平成――先の読めない時代

そのことが「ポスト平成とはどういう時代なの」ということに何らかの解答を与えるかというと、これは難しいです。ポスト平成、これはもちろん二〇二〇年の東京オリンピックが来ますし、やがて二〇二五年の大阪・関西万国博も来ます。しかし、それが来たときに日本が一体どういうふうに変わるのかという図式を書いてくれる人は、実はいません。一九七〇年の大阪万博のときには、二〇一九年二月に亡くなった堺屋太一さんがその後の日本についていろいろな小説にも書きましたし提言もされた。あのころは役所が主導して、これからの時代はこういう時代だということを書けた時代だったのです。

堺屋さんがいた通商産業省、今の経済産業省ですが、ここなどは一〇年ごとに七〇年代ビジョン、八〇年代ビジョン、九〇年代ビジョンという形で、日本の国家はこうなるということをはっきり学者先生たちを集めて議論していました。それから、いわゆる国土計画もそうです。日本の国土をこういうふうに運営していくのだ、これからこういう国に日本の国土をつくり変えていくのだということで、これも全総（全国総合開発計画）が始まって五全総まで、つまり平成の初めぐらいまではそういうことが続いたのです。それが一切なくなりました。

昔は五年計画、一〇年計画は役所で当たり前のようにつくりましたが、今はつくれません。五年先、一〇年先が読めないのです。だから、「オリンピックがある」とみんな言いますが、オリンピック以後この国がどうなるかということをはっきり言った人はまだいません。言おうとしている人はいますが、なかなか言えない。しかも、今度はそのオリンピックからややあって万博が来るということになると、一体これはどういうことになるのか。

これは明らかに昭和のコピーです。昭和三九年に東京オリンピックが来て、昭和四五年に大阪万博が来た。それと同じことが今度ポスト平成で起ころうとしている。しかし、あの昭和のときのような、高度成長期でこれからまだまだ先があってという時代とはどうも違う。一体どういうふうに考えたらいいのか。はっきり言って、ポスト平成をきちんと書けないということが、安倍政権がずっと続いていることと極めて関連性があるというように私は思っています。

安倍内閣をどう見るか

安倍内閣をどう見るかということに関して、いろいろな人がいろいろなことを言います。私も安倍内閣に関してはいろいろ論評をしてきました。しかし、最近この一年ぐらい、安倍さんが三選されてからですが、どうも安倍内閣に関して通常の論評、つまり何かが起きても安倍政権が責任をとらないとか、何か事が起きても野党がだらしないとかというような形では、この政権を、あるいは今の政治状況、統治状況を説明できないのではないか。だから、今は黙っています。黙っていますと言うのは、「先生のご見解」をといろいろ言ってきますが、見解の述べようがありません。

なぜ述べようがないか。それは今回の不正統計の問題でもはっきりしています。あの不正統計などというのは、もし第一次の安倍政権だったら、とっくに政権は吹っ飛んでいます。あのときは年金問題で吹っ飛んだわけです。しかし、モリカケ（森友学園・加計学園）問題その他、政府が起こしてきたいろいろな問題に関して、我々はもう「またか」という感じになっている。

なぜそうなっているか。それは、安倍政権のやり方というのはもう決まっていて、一応取り上げる。

問答はする。しかし、よほどのことがない限り責任はとらない。そして、その問題は十分に論議を尽くしたと言って次に進んでいく。次に進んでいくとまたスキャンダルが起きますが、そういうスキャンダルに関しても同じように、あたかも次のスキャンダルを待っているかのように処理をしていく。これは官僚の世界もそうです。官僚の世界も、一人や二人の犠牲者が出たとしても、変わらず進んでいく。

不正統計の問題は、実は考えてみたら恐ろしい話です。これまでのいろいろな国民統計の多くが根拠なくつくられていたということですから、我々も被害者ないし加害者になるわけです。どうしてか。研究者はこれまで政府統計を信じて議論を積み重ねてきたわけです。私もそうです。それを前提にしてやってきたのに、それが不正だったとなったわけです。新聞もそうです。新聞だって、いろいろなことを書いているのは全部統計を利用していますから、これまでの日本で行われていたこの手の議論は一体何だったのかと。議論はそこまで行くはずなのですが、絶対にそこは書きません。そこを書くと日本社会の崩壊につながりますから、何を信用していいかわからない。だから、結局これも今までのスキャンダルと同じように、言わせておいて、あるところまで来たら片づけるという形で進行していかざるを得ない。

野党は徹底追及と言っていますが、野党の徹底追及が「徹底」でないのは皆さんご承知のとおりです。あれも、かつての自民党と日本社会党が政権をそれぞれ分担と言ったら変ですが、自民党が永久与党、日本社会党が万年第一野党である時代の残された副産物みたいなもので、「徹底追及するぞ」と言うのですが、ごらんになったらわかるように徹底追及できません。なぜならば、野党の勉強不足もあって、野党は時々「どこどこの報道によると」とやります。「何々新聞によると」って、あなた方が言ったらだめでしょうと。つまり、そんなものはもうとっくに政府では検討していますから、当然そんなものを幾ら追及したって逃げられてしまう。

昔、野党が与党を追及するときは「まむしの何とか」というとんでもないおじさんたちがいて、これがどこから仕入れてくるのかわからない、自分だけが仕入れた材料で与党をたたく。これが「追及する」ということの意味だったのです。今はだから追及にならないのです。政府は初めから安心している、どうせ「新聞によると」と言うに決まっていると。それが今の政治です。

フェイスブック化する政治

今の政治でもう一つ、私は去年一回だけこの言葉を使ったことがありますが、どうも政治が「フェイスブック化」している。つまり、みんなフェイスブックを開くと、それぞれが何かについて語っている。しかし、その問題について語っていられる時間というのは、長くて二週間、早ければ一週間でまた次の課題に移っていく。現政権がやっていることもそうであって、一つやればまた次と。

外交問題にしてもそうです。日韓関係で何かが問題になる、あるいは北方領土が問題になる、次から次へと問題を投げかけて、それに「手をつけていますよ」「着手していますよ」と、ずっとこう言い続ける。しかし、そんなにたくさんあると人は忘れるのです。それで時々思い出したかのように「あ、北方領土はどうなっているのかな」と。北方領土の問題は、もう明治維新のときの千島・樺太交換条約以来の、まさに明治以来約一五〇年の課題です。その歴史の重みというものを感じて議論をしている姿は全くありません。とにかく、やるか取り返すかのどっちかだといったような、そういう近視眼的なゲームの話になっています。

一方で、官邸に権限が集まり過ぎている。要するに、官邸主導とか、あるいは官邸が全てを決めている。確かに菅義偉《すがよしひで》さんが官房長官を六年間やっていますが、これは「菅改革」と言ってもいいくらい。人事権と彼の得意な情報取りによって、何が問題であるか、何を先にやったほうがいいかということを考えて、メディアに載りやすい、あるいは野党がこの問題だけはと思っているような問題を先取りして官邸でやらせてきた。

私もその一年目、二年目の官邸に行ったことがありますから覚えていますが、菅さんのところなどはもう本当にあふれんばかりに官僚たちがいっぱいいて、そして、彼らは二人のチーム、三人のチーム、あるいはもう少し大きいチームをつくって問題について議論して、集まっては別れ、集まっては別れということをずっとやっていました。この間に菅さんは恐らく政治的な勘を相当養ったと思います。

今の官邸にそんな様子はありません。忖度する官僚のほうから、これは絶対に官邸に持っていったらとってもらえるというものをどんどん流すからです。もう今は、情報が菅さんが集めなくても集まるのです。各官庁にしても、官庁で一生懸命やっても、持っていって説明なんかしているうちに何だか次の国会も過ぎてしまう。それであれば、「これは官邸マターにしようよ。官邸に持っていって官邸で続々やってもらったほうがいい」と。官僚の人たちが官邸に一体化しているというか、あるいは官邸が主導しているというか、各省庁の話し方があまり冴えないのは、自分たちが材料を出しているからです。そのほうが早く解決すると思っているからなのです。

もう一つ言っておくと、本当に今、国民にとって必要な政策を議論して出しているかというと、そうではない。今出したら受けると。つまり、これもフェイスブック化なのです。取り上げてもらえそうな、そして国民受けしそうな、これだったらというのを出していく。それもうまくいけば法案まで行きます。しかし、法案にならなくてもいいのです。とにかくやっているという感じがあればいい。私は、安倍政権というのは「やってる感の政治」だと言いましたが、それはまさにそこです。そうそうできるものではない。しかし、とにかく取り上げてくれた。そうすると予備費から金がつく、調査費がつくぐらいのところまでは行くわけです。「それでいいんじゃないか。次はまた次で考えよう」と、そういう話になってくる。

だから、内政も外交もそういう形で、今や安倍政権は与党、野党を超えて統治全体をいわばコントロールする力を身につけてしまった。もちろん国会は審議をしますが、国会の審議をごらんになったらわかるように、あの審議内容で野党が与党に一矢報いて、そして与党の政策を変えさせるなんてことは金輪際ないわけです。ちょっとしたミスとか何とかをつつくことによってそれは果たされるかもしれないけれども、かつてのように国会で審議がきちんと行われているかと言えば、到底そうとは言えないぐらい形骸化している。これは間違いありません。

新聞が危ない

それから、政権が六年続くと何が起きるかというと、新聞報道に物すごい変化が出ました。新聞報道と言えば、私も随分新聞にはいろいろなことを書いてきましたが、朝日新聞の劣化がひどい。なぜ朝日が劣化するか。恒常的に安倍政権から情報が入らないからです。安倍政権は何にも言いませんが、朝日には情報を流さない。これが何を生むかというと、仮に安倍政権が変わって次の政権になると、この状態であればまた復活する可能性がある。「だったら問題ないじゃないか」と言う人がいますが、そうではない。

なぜそうではないか。六年間ろくに特ダネも取れない、あるいは情報の海にさらされていない新聞記者はどんどん干からびてくる。つまり、かわいそうですが、この五、六年の間の新人記者は、頑張っていると当の本人は思っているでしょうが、極めて基礎的な知識が欠けている。そして、相手に対するアプローチの仕方も間違っている。そんなことを聞いたのでは、とてもこっちは知っていても答えられないよと思うような質問しかしない。だから、そこには貧困な紙面しか生まれないわけです。

私が去年びっくりしたのは、朝日新聞がメディアの人とか学者、そういう人に国会審議を見学させて、今の国会審議をどう思うかという記事をシリーズで書かせた。これなんかは記者の役割放棄ですよ。何でそんなことをほかの評論家や何かに見てもらって書かせるのか。自分たちが書けば済むものを、結局自分たちではもう書けないから、国会批判をしてもらうために、何か批判しそうな先生たちに見てもらって書かせた。「リアル」だと彼らは言っていましたね。「朝日としてはリアルに批評してもらっているのだ。右から左まで入っているし」なんて言っていましたが、大体今どき右から左までと言うのもおかしい。僕はそのときに「これはあなた方の責任放棄である。自分たちで記事が書けなくなった証拠である」と言ったけれども、彼らはわからなかったですね、それくらい言っても、わからないレベルになってしまっているのです。

これがもう少し続いて、この連中がやがてデスクなんかになったときにはひどい記事になりますよ。それでもまだ朝日がもっているのは、デスクから上は情報が取れていたときの記者だからです。彼らはいずれみんないなくなります。そして今の記者さんたちだけになると、とんでもないことが起きるだろうという気が私はいたします。

だからといって、読売新聞がいいとも思わない。読売新聞は「上御一人《かみごいちにん》」がまだ生きておられますから、この生きておられる上御一人の意向にどう沿うかということだけを考えている。だから、御一人がいなくなったときにあなた方はどうするのかと聞くことがありますが、そのときはまた別の御一人が来ると。しかし、もうそういう世の中ではない。本当に新聞が危ないです。

一つだけ例を挙げておきますが、最近いろいろなところから取材が来ます。立派なところ、ちゃんとしているところは、まず第一に電話で取材の意図を告げて、そしてきちんとメールで——手紙の形もありますが、私はメールにしてくれと言っています。メールで、何を私に聞きたいのか、取材の結果をいつ、どう報道するのかというのをきちんと書いてくる。これは立派なものです。そういう新聞は今でもあります。これは私は受けます。

ところが、とんでもないのは、電話だけかけてきて、「先生、もうじき平成が終わりますね」「終わるね」「平成が終わる日、あいてますか」とか「五月一日あいてますか」と言うから、「あいていると言えばあいてるし、あいてないと言えばあいてないけど、何だ」と言ったら、「その日に取材したいので、何か考えておいてください」と言うから「それは私はお断りする」と。「えっ、どうしてですか、先生。五月一日に新聞に出るのですよ」「新聞に出るのがうれしくて私はやっているんじゃない。あなたは一体何を聞きたいの」と言ったら、「これから考える」と言うのです。これから仲間の記者と一緒に考えると。まず上司に御厨先生を押さえろと言われたから、きょうは押さえの電話をしていると。「ばかばかしい」と私はお断りをしました。そしたら、「朝日ですよ」と言うのです。「朝日だろうが何だろうが、そういう無礼なことに乗るわけにはいかない」と言って断りました。

昔だったら、私は親切ですから、そのときに必ずその記者の名前を調べて上司に連絡して「ちょっとこういう取材はまずいよ」と言いますが、今はそんな親切はしません。なぜしないか。それをやったら必ずその記者にSNSに書かれます。自分は善意でもって東大のM教授のところにこれこれの取材に行ったら、その取材をけんもほろろに断ったばかりか、そのことを無礼であるとして自分の上司に告げ口した、と絶対に書きます。そう書かれている方を知ってますからね。だから、もうそういう親切もしないということになりました。だから、新聞はますます劣化するだろうという気が私はします。

夕刊を見てください。今はほとんど夕刊なんて要りませんよ。朝日新聞の夕刊は、ごらんになるとわかりますが、小説家の独り言、それから舞台俳優や演出家の独り言、そういう、きょう報道しなくてもいいような、いつその取材をしたのかと思うようなものがずらりと並んで、一枚目と二枚目に辛うじていわゆる速報性――これも新聞の速報性ですから当てになりませんが――のものを載せている。

「もう夕刊はやめたらどうか」と随分朝日の諸君に言ったことがあります。しかし、それはやめられないのだと。「どうしてですか」「販売店が潰れる。販売店は夕刊も売って何ぼのものであって、朝刊だけだったら必ず潰れる」と。「宅配制がもうだめになっているのだから、しようがないんじゃないか」と言ったら、「いやいや、そんなことを言ったら自分たちは殺される」と、こう言っていました。だから、古い制度が生き残っているところは、そういうところなりにやっぱり大変なのだなと思ったりしています。

三〇年でひとくくり

きょうのお話の中で私が一番問題にしたいのは、今私が書けないでいる、安倍政権というのは一体今後どうなるのだろうか、それは平成後というものを予知している政権なのだろうかということです。「三〇年でひとくくり」というのはあまりやったことがありませんが、今、平成はまさにそれをやっています。私は思考実験で、明治三〇年でくくったらどうなるか、大正は一五年しかなかったからくくれませんが、昭和三〇年でくくったらどうなるかというのをやってみたことがあります。そうすると、これからお話ししますが、どっちも新しい統治体制が三〇年たつとでき上がるのです。

明治は、三〇年から三年たった明治三三年に「立憲政友会」ができます。立憲政友会というのは、日本の戦前で一番長く政権を担当した政党です。なぜ立憲政友会の成立が統治体制の確立なのかと言えば、それに先立つ一〇年間、明治二三年に帝国議会ができて以来、官僚派といわゆる藩閥派、それと民権派と呼ばれた民党とが衆議院の予算などをめぐって激しく対立していた。ですから、時々引き抜きをやったり金銭買収をやったり、いろいろなことをやるのですが、藩閥と民党というのは長続きのする統治体制にすることが一〇年間できなかった。

日清戦争の後ようやく、藩閥の親玉である伊藤博文が、政党がなければこれからはやっていけないと、そして民党のほうでは星亨という人物が、これも今までのように何事も全て政府反対ではやっていけないと、統治ということを考えて藩閥の一部と民党の一部が合体することによって、立憲政友会というのをつくります。これがその後の政治的安定を生みます。「桂園内閣」と言われるように、桂太郎と西園寺公望の政権交代が続いて、西園寺内閣のときには与党、そして桂内閣のときには与党的存在としてこれを支えたのが立憲政友会であり、やがてそれから二〇年近くたって、原敬が政友会内閣、つまり政友会の単独政党内閣をつくった。そこまで行く路線が大体明治三〇年にできているわけです。

では、昭和三〇年はどうか。ご承知のように昭和二〇（一九四五）年までは戦争の時代があった。それが終わった昭和二〇年から二七年の、ＧＨＱ（連合国軍最高司令官総司令部）の統治の後、吉田茂内閣がかなり長いこと政権を担っていた。しかし、政党は幾つかあって、これが連立しないと安定しないというところまで追い込まれていたわけです。そこで、昭和三〇（一九五五）年に保守合同で自由民主党（自民党）が、それから日本社会党の左派と右派の統一によって統一社会党が生まれ、そこから日本型の二大政党制ができ、いわゆる保守合同による自民党の半永久政権が続くようになった。これがまさに昭和三〇年なのです。

だから、ここでまた新しい統治の体系がやはり生まれた。政権交代は遂に実現しなかったけれども、自由民主党という政党の中に派閥があり、その派閥の疑似政権交代によって、最後は平成のところにまでそれを持っていくことができた。昭和の三〇年間でも新しい統治体制を生んでいる。

さあ、どうでしょう。今の安倍政権はああいう新しい統治体系が生まれる何かを持っているのか。どうもそういう感じは見ていてしないのです。もちろん政治をこなしてはいる。行政をこなしてはいる。しかし、一番の問題は人材がいないことです。

明治三〇年のときも、昭和三〇年のときも、そこで新しい人材が入ってきたのです。だから、桂や西園寺という維新の第二世代が総理大臣になれたし、昭和のときは、岸信介までは戦前派ですが、岸が終わった後、昭和三五年からは戦後世代になって、池田勇人、佐藤栄作等々がそこで政権を担っていく。つまり、それだけの人材を生んだわけです。

今一番心配なのは、人材が生まれていないということです。ある時期まで、本当に冗談のように「ポスト安倍は安倍だ」と言っていましたが、今やこれが真剣に考えられる時代になった。彼に対抗する、あるいは彼を超える使命感を持った総理大臣があらわれる気配は今のところありません。

安倍さん以外の人を自民党で立てた場合、必ずかつての自民党のように割れる要素が出てくる。なぜならば、安倍さんはいいのです。政権を自分たちに取り返してくれた人で、しかもその後二、三年でまた野党に政権が移るかと思ったら、どっこい六年も政権を維持してくれている。だから、政権を二度と野党に渡さない形にした安倍さんには反対できません。しかし、これが岸田文雄さんとか石破茂さんとなった途端に、「彼らがやるのだったら私も」という、自民党が多数を占めているときによくありがちな分裂現象が起こってくることは想像に難くありません。だから、今の政権が粛々と続くわけです。

そして、政権が続いていると、外交問題では結構点数が稼げる。六年も総理あるいは大統領をやっている人は、諸外国でもなかなかいません。そうすると、安倍さんが行けば、最古参ないしは最古参から二番目ぐらいの統治者として海外で振る舞うことができる。日本でこれまでこんなに長い政権はめったにありませんでしたが、長期政権というのは外交的には結構意味のあることをやる。今後、北方領土がどうなるか等々、具体的な問題はわかりませんが、そういう時代に入ってきているということを申し上げておきたいと思います。

平成三〇年の意味

講演＝一般財団法人交詢社午餐会　二〇一九年四月一九日
初出：交詢社発行『交詢雑誌』第六四九号、二〇一九年六月

はじめに

御厨でございます。平成一八年、今から一三年前にここでお話をしたということをよく覚えております。先ほどお話がありましたように、たしか小泉政権というものをどう見たらいいかということで、いろいろとお話をさせていただきました。それから幾星霜経ちまして、いよいよ平成が終わる。

ただ、いよいよ平成が終わるというのは誰も考えていなかった。要するに、今上陛下がとにかく譲位をしたいということを申し出られて、それがかなり早いスピードで法的に実現をし、そして現実にもうカウントダウンという状況に入っているという、これはおそらく二一世紀の政治というか、あるいは平成時代の政治をずっと見てきた者にとっては、大変なハプニングだったような気がいたします。というのも、おそらく陛下が自らこの地位を退かれることを申し出られなければ、平成時代という

ものはたぶんまだ続いていたでしょうし、仮に従前と同じように崩御制によって代替わりが行われるということになったときに、平成というものがこれほど振り返られる、あるいは平成の三〇年とは何だったのかというようなことを言挙げする事態にはならなかったと思っております。このことはきょうお話をする一番のポイントであります。

あとでもちょっと申しますけれども、私自身陛下のご退位をめぐる有識者会議のメンバーとしてこれを推進したときに、元号の問題でこれだけのにぎわいを見せ、そして時代が変わるのだという意識をみんなが喚起される事態になるとは、本当に思っていませんでした。じゃあ、いったいお前はどういうつもりで、あのときに陛下の譲位の方向を進めたのかと言われれば、これも非常にはっきりしておりますが、最初にＮＨＫのニュースで陛下に退位の意向があることを聞いたときから、私は随分いろいろなメディアに発言をしてまいりました。

そのときに最初に感じたのは、これは非常に危ういということです。つまり、憲法との関係から言った場合、これは一種の政治行為になる。退位をするというのは明らかに政治行為でありますから、それを陛下自らが言い出されて、こういう事態に進んでいくということは、憲法という土俵から足がちょっと出たか出ないかという状況であるということを、私はそのときにも申し上げました。

模索し続けた平成の天皇の在り方

認識はそれからだいぶ変わってきております。というのも、ご覧になるとわかりますが、現行憲法はほとんど天皇陛下に何もさせない、何もできないというかたちで作られています。もちろん、宮中でのいろいろな宗教行事については、憲法が触れることではありませんので触れておりませんが、国事行為として定められたもの以外は、全部「象徴としての務め」というところにすべてを投げ込んでしまった。これが日本国憲法の実状であります。

ですから、「してはいかん」ということはいっぱいあっても、象徴としてのお務めということは何ら定義がない。その中で、特に戦前の大日本帝国憲法で「統治権の総攬者」とされた天皇陛下も、実はそれほど勝手気ままに振る舞えたのではなく、現実には下部の政治行政機関がそれを支えることによって成り立ってきた。ですから、この憲法は二代にわたりますが、明治憲法のときも、それから今の戦後憲法のときも、陛下の権限は事実上そんなに大きくはない。そして、それは振るえない。

特に戦後はＧＨＱの思惑もありましたから、とにかく陛下が何もできないようなかたちで憲法を組んだという経緯があるので、相当厳しい憲法になっている。何をしていいかわからない。そういう構成になっている。そのことによって、昭和天皇はずっと戦前の戦争の時代、戦後の平和な時代を重ね合わせて、相当苦労してその生涯を終えられたというのは、我々もよく記憶しているところです。

そうすると、今度は今上陛下の平成の時代というものが生まれたときに、前の昭和天皇の場合は多くの戦争の歴史を引きずっている。大日本帝国憲法下の在り方も引きずっている。それはご自身が何度も何度も側近を呼ばれて、繰り返し繰り返し自らの歴史を語ろうとされたという行為にも表れているのですが、ではその次の、つまり、今上陛下の時代がどうなるかというのは、三〇年前にはまったく想像もつかなかった。つまり歴史を背負っていない。これまでの天皇は明治、大正、昭和、ともに歴史を背負ってきましたけれども、はっきり言って今上陛下の場合は戦後民主主義を背負うのか。そういうかたちでもないだろう、と。では、戦後民主主義の中での新しい天皇像を模索されるのか。これもなかなか、その当時はいったい何があるんだろうねという話であったわけです。

しかも、そのときにみんな、平成というこの元号がどこまで使用されるのであろうかと思った。既に平成に変わったときに、公的機関はなかなか難しかったけれども、会社や大学、特に私立大学などでは一斉に元号使用をやめました。これからは西暦の時代であるということで、西暦に変えた機関は結構ございました。

それから、これも私はよく覚えていますけれども、平成になってしばらくは、メディアは天皇と皇室の記事をどういうふうに出していいかかなり迷っていた。というのも、昭和天皇ですと、これはもうどんどんお年を召されて、最後のところでいろいろなことがございましたから大きく報道が出ましたけれども、今上陛下の場合には、どこかへ行かれるとか、あるいは国民体育大会に出席されるとか、そういう行事であっても、これをどういう大きさで報道したらいいのか迷っていました。僕は、ベタ記事であったことを随分覚えています。ああ、遂に陛下がいろいろなお仕事をされることもベタ記事扱いか、と。どこかの国を訪問するときも小さな記事しか出なかったという時代がちょっと続きました。

国民に寄り添った今上陛下

やがてそれが変わってきたのは、これも皆様ご承知だと思いますが、平成の時代は昭和と大きく違ってきたね、とみんなが思ったのは、もちろん政治改革であるとか、あるいは経済の停滞であるとか、そういう問題もありました。けれども、昭和の後期にはたしかに自然災害が起こっても、それをたちどころに処理した。自然災害を起こらないようにすることはなかなか難しいけれども、その災害を科学技術の力によって、たちどころに元の通りに復興してみせる。これができたのが、実は昭和後期の時代の特色でありました。

一九六〇年代以降、科学技術を振興すると同時に、科学技術を信仰することでもあるという時代がずっと続いていた。ところが、それが平成に変わった途端に、別に元号が変わったからそうなるというものでもなく、おそらくそれは地球の中での自然現象の一つであったのだと思いますが、自然災害に見舞われるようになった。特に最初に来たのは地震であります。これだけの大地震が続いて起こるというようなことは、それ以前には到底考えていなかった。そしてそれを未然に防ぐということは、今では事前予防とか言っていますが、当時は全く考えられない時代だった。自然災害がこれだけ大きくなる。この自然災害が大きく出てきたときに、この災害と寄り添う。災害と寄り添うというよりは、災害とそれに被災した民と寄り添うということを最初に決行されたのが、実はこの平成の天皇陛下と皇后陛下であったということは印象的でありました。

阪神・淡路大震災の前から、そういうことがあったら現場にすぐに直行する。できるだけ早く現場に行って、そして被災をされたその地域の民と同じ目線で事態を語り、必ず鎮魂と言いますか、お祈りを捧げるということを天皇陛下と皇后陛下は始められたわけです。阪神・淡路大震災、さらには東北の東日本大震災のときに、ある種それは絶頂に達し、その後は熊本の震災もそうですが、それ以外でも、今度は地震以外の自然災害が多くなる。そうすると、その現場に必ず向かわれるというのが、陛下の平成の時代を規定してきた歩みになります。

もちろん、それ以外で、鎮魂という意味で言えば、まだ戦後の後始末が残っていましたから、そういう点で、あの戦争の戦地に、国内だけではなく、ご承知のように国外にも赴かれて、そこでお祈りを捧げる。つまり、戦地にもう一度行かれてお祈りをされるということと、被災地に行かれるということ、この二つが陛下の一つのお仕事として、かなり確立をされるようになった。

私は東日本大震災のときの復興会議のメンバーでもありましたので、時折、非公式のかたちで陛下ご夫妻に呼ばれて、御所でいろいろな状況の説明をしたことがございました。私がそのとき非常に驚いたのは、ご質問されることがかなり的確であって、しかも間違いなく、これはご夫妻で考えられたご質問であろうと思われたことです。おそらくこういうような何となくタッチーな問題については、宮内庁が全部質問を作ったのだったらこれは出てこないなと思うような突っ込んだ質問がございました。

そして、同時に驚いたのは、我々が今の復興状況、「この地域は今こういう復興状況にあります」と申し上げたときに、これは皇后陛下だったと思いますが、「今、おっしゃったことは、たぶん今から何年前のどこどこの地震が起きたときに二日目か三日目に起こった事象と同じね」と言われた。陛下も「うんうん、そうですね」とおっしゃった。

そんなことを言われても、こっちは前の地震の現地なんか見ていませんし、何もわからない。しかし、陛下ご夫妻は我々が語ることによって、その被害の様子や災害の様子を立体的によみがえらせることができる。だから、比較ということがおできになる。これは私にとっては本当に目からうろこでありまして、これはいくら国土交通省の役人が頑張ってもかなわないなと思いました。一人の人間がずっと災害のあとを見ているわけではありませんから。陛下はそういうお仕事をされている。だから、災害が起こるとすぐにその現地に向かわれるんだな、ということも、そのときに非常によくわかった次第です。

高齢化社会と譲位

陛下がお辞めになるときに、私の仕事が何であったかという回想の中で、「象徴としての務めというのを自分は考えてきていた」とおっしゃった。私は、あのNHKのニュースで、それから陛下ご自身が国民の前に、いわゆる退位、譲位のメッセージを述べられたときに、「ああ、こういうことであったのか」ということに気がつきました。

それは、日本も高齢化社会になった。そのとおりだ。でも、高齢化社会になれば当然、天皇、皇后のお二人も年を召されるんですよ、というメッセージだったのです。それは我々は全く考えていなかった。なぜならば、代替わりは崩御制であるという原則にあまりにもとらわれすぎていたからです。昭和天皇が最後まで天皇として終わられた、あの姿を見ていますし、そうすると、これはもう間違いなく仕事はずっとあり続けて、それはずっと陛下がおやりになるというふうにみんなが思っていた。

そこに、「高齢化社会です。つまり、この国も高齢化して、私たちも年を取るんです」と。この「私たちも年を取るんです」というのが衝撃的な言葉だった。そうだ、当たり前のことだ。みんな引退ということがある。なぜ陛下にだけ引退がないのだろうか。それはこれだけ高齢化している社会の中でちょっとおかしいのではないか。しかも、陛下ご自身がそういう問題、つまり自分が老いたということ。老いて公務をやりにくくなったということ。これを示したのはメディアでありました。

今、大画面になって、液晶のテレビになって、それこそ画面はでかいし、出てくるものは詳細にわたって皮膚の色までわかる。そういう時代になりました。そうすると、陛下がいろいろなところに出掛けていかれて、お祈りをされる。あるいはお言葉を述べられる。そのときの順序、順番等についても、陛下が若干間違われるときがある。それから読まれるときにも若干の読み違いというものをなさるときがある。これが国民に全部わかってしまうわけです。また陛下自身がそういうテレビをご覧になって、ご自身の高齢化の実態をおわかりになるわけですね。そうすると、これではもうお務めはできないと思われたのは無理もないことでありました。

したがって、こういう事態はたぶん国民も共有していた。つまり、あれだけ祈りを捧げてくださる天皇が、高齢化でもう退きたいと言われたとき、「よくやっていただいた。どうぞ陛下お休みくださいい」、これが当時の国民の声であったと思います。ですから、あの当時のメディアのいわゆる世論調査は、八〇パーセントから九〇パーセント以上が、陛下の退位というものに対してなんら違和感を覚えなかった。今まで崩御制だと思っていたけれども、そうだ、陛下にもお休みいただくことができるのだ、と。

ですから、私はさっき土俵にちょっと手を着いた、あるいは土俵に足がちょっと掛かったという言い方をしましたけれども、国民の大半がこれを支持したという、いわばメディアの大半が八割から九割賛成という、国民投票でもしたような結果がすぐに出てきた。これが大きかったと思います。

ですから、陛下の退位に関する有識者会議を進めるにあたって、私はメディア担当ということで、座長代理を引き受けましたけれども、そのときの最初の記者会見で、メディアの皆様に言ったのは、これはあなた方がついてきてくれないと成り立たない改革ですよ、と。いろいろな問題はある。けれども、陛下ご自身が言い出されて、しかもそのときに、あなた方の世論調査で、あれだけのパーセンテージの賛成が出たということが、この動きを推進することになっていく。だから、今後もあなた方の世論調査は、この問題を決定するのにかなり意味があるんですよ、ということを申し上げたのを覚えていますが、実際にそのとおりになっていったということなのです。

崩御制の原則

現実には、安倍政権は、これはもうよく知られていることですけれども、この陛下ご自身で退位をされたい、譲位をされたいということに関しては、かなり否定的でありました。やはり「陛下自らがお辞めになるというのは」という空気が強かったことはわかります。そこの最終的な一つの妥協点というのが、「あくまでも崩御制を原則とする、しかし例外を認める」というのが、当初の政府の意向だったというふうに、これは別に直接聞いたわけではありませんが、何となく以心伝心でわかりました。

別に崩御制原則ってそんなに、と言われるかもしれませんが、やはりさっき申し上げたようなことにありまして、近代一五〇年と去年言われましたけれども、この明治国家になってからの一五〇年間でいろいろなものが変わりました。憲法も変わったし、いろいろな制度も変わった。その中で唯一変わらなかったのが皇室典範でありました。したがって、この崩御制というのもずっと守られてきてしまった。

誰が最初に崩御制なんて言いだしたのか。それは、あの明治憲法を作った政治家の伊藤博文その人でありました。法制官僚であった井上毅とか、そういう人たちは、昔から陛下は自由にお辞めになって上皇になられたのだから、別に崩御しないで退位されてもいいのではないか。つまり、近世まで行われていた方式をそのまま踏襲すればいいのではないかというのがむしろ大半だったのですが、伊藤はそれを否定した。なぜ否定したのか。伊藤は自らわかっていたからです。

つまり、あの明治憲法というのは、天皇をできる限り立憲体制の中に組み込もうとしていた。ともすると君主独裁に行きがちなところを何とかくい止めようというのが、あの大日本帝国憲法の規定であったわけです。そのときに、彼自らもそうでありましたけれども、やはり玉を利用するということがあってはならない。明治維新で薩長が最終的に勝利を得たのは、孝明天皇が亡くなったあと、幼い明治天皇をどこの勢力がとるかということで、薩長がそこは一日の長ありでうまくとったわけですね。そうすると、これからも何か事があるときに、やはり天皇を替えたらどうかというような動きが出てくる可能性が十分にある。それはこの憲法体制の中に組み込んだ天皇に対して、不安定性を与えることになる。天皇制の不安定は一番いかんということで、この崩御制を原則にして、それを貫いたわけです。

そのことによって、日本は、あの戦争のあと昭和天皇の戦争責任の問題が出てきたときに、退位問題はアメリカ側からも日本側からも必ず出ましたけれども、これを乗り越えた。よかったか悪かったかという評価はしませんけれども、乗り越えることができたのは、あくまでも崩御制を維持したからでありまして、皇室典範には触れられなかった。だから、そこを乗り越えて、昭和天皇はずっと終身天皇であり続けられた。

ただ、皆さんもご承知だと思いますが、天皇陛下が天皇としてのお務めができなくなったときにどうするか。それは一つあります。摂政を置くという方法です。この摂政を置くというのは、今回の今上陛下の場合も、多くの人たちが「退位ではなくて摂政規定を使え」ということを随分言ったわけです。ただ、摂政規定を使いたくないという気分が今の陛下におありになった。それは、大正天皇がやはりご病気になられて、最終的には政務が執れないということで、昭和天皇が当時まだ皇太子でありましたけれども、摂政になられた。

これは今もう歴史の史料にはっきり残っていますけれども、それからあとの大正天皇とそのときの皇太子との関係性は極めて悪くなった。大正天皇は自分の子供に権限を奪われたと思われるわけです。そんなつもりはないということであっても、その関係性が極めて悪くなったという事実がこんにち明らかになっています。

もう一つは、ですから自らご病気になられたときに、昭和天皇自身も摂政を置きたくない。それは自分が自分の父親にしたことを思っているからだ、というような文脈が出てまいりました。したがって、摂政制というのはたぶんこの時点でほぼ消えたというふうに思ったほうがいいんですね。そうすると、あとは崩御制一本でいきますから、もうどんなことがあっても、という話になる。そこを何とかしなくてはいけないというのが今上陛下のお考えであって、なるほど歴史的に議論をしていけば、そういうことになるのだということになりました。

最終的な結論は、とにかく一代限りということで特例法でいくということで話は納まるわけですが、しかし崩御制を原則にして、あくまで例外規定であるということを強調しませんでした。それは例外規定であれ、いったん天皇が退いた、退位したという事実はかなり重い。今後もそういうことが可能性として出てきたときに、あれは例外だったんですよとは、おそらく言われない。だんだんこれが省みられるようになり、そしてそれが今後の道筋を決めていくようになるんだろうな、ということを強く思った次第です。

「天皇の務め」とは何か

そこで、天皇のお務めの問題です。象徴としてのお務め。これなんですよ。これを憲法学者も政治学者も、あるいはそれ以外の人たちも、戦後この問題を全く考えてこなかった。象徴として、シンボルとしてっていったい何だろうね、と。要するに、何もしないことなんだろうね、国民に範を垂れるというかたちで生活をされることなんだよね、というふうな話はあっても、これについての議論はほとんどなされないまま来てしまった。だから、今上陛下が「自らのお務めは自らが切り拓いてきた」と言われたときに、誰も文句は言えなかった。そうだよね、考えてなかったことが起きたんだ、と。それを陛下はあそこで長く、メッセージの中でも語られましたし、その後の在位三〇年の式典や、あるいはいろいろなことがあるたびに語られたように、自分が国民と共に作り上げてきた象徴としての務めというものを次の世代にも伝えていきたいという話になっているわけです。

ですから、今私が申し上げたことを問題点として簡単に整理していきますと、第一に、今でもおそらく政府の公式見解は崩御制が原則であって、譲位というのはその例外であるという認識だと思いますが、これが成立をした暁には、意味と解釈が変わっていく。したがって、例外規定はやがて例外規定ではなく、いずれは崩御制と譲位制が並ぶと言うと言い方は変ですが、並立される状態になる可能性は非常にある。これが一点目です。

それから二点目は象徴としてのお務めということについて、実はその後も国民の間で、あるいは学者の間で議論をする動きがありません。陛下はこの自分が務めてこられたことをこれからあとの天皇にも、それからそのあとにも、ずっと継いでいってもらって、さらにそれを発展させてほしいと言われているわけです。これは陛下の意向としては非常によくわかりますが、私たちは有識者会議のメンバーとしては、これをこのまま次に継いでいくのは到底不可能ではないかと思った。宮中祭祀もやられて、国事行為としての公務もやられたうえで、それをやる。それを全部ないがしろにせずにやっておられるわけですから、時間がいくらあっても足りない。このまま飽和状態になったまま次につないでいくというのは、これはなかなか大変なことなのではないかというふうに思っていますが、現況、それは一応継いでいくということになっています。果たして新しい天皇にどういうお考えがあるのかというのはこれからですけれども、ここはやはり平成というものを省みるときに考えてみなければいけない点だろうと思います。

三点目、これはこれからのことにつながりますけれども、さっきも申し上げましたように、平成という時代は、たぶん今回の天皇による、いわば強制遮断、もう平成という元号は三〇年で終わりですよという、この能動的な行為がなかったら、これほどまでに平成時代というものをみんなが歴史の一コマとして語るようになったとは思われません。

実は、平成というのは、ひそひそ語られたのは、政治改革、政治改革と政治の社会でも言ってきたけれども、結局、改革って何だったんだろうね、これ駄目だったんじゃないの。経済はリーマン・ショックもありましたけれども、だんだんと回復したと言われるけれども、アベノミクスまで見て劇的に経済がよくなっているとはとても思えない、皮膚感覚でそうだよね、と。一方で、自然災害はいっぱい起こるし、それ以外でもまあなんだか奇妙な怪奇現象が起きるし、外交的にもますます日本が追い込まれる。私は日本が追い込まれているとばかりは思っていませんけれども、そういう状況にある。一つ一つのアイテムをとってみれば、決してそんなによくない。

これを平成三〇年とくくることによって、見事に一つの時代像として浮かび上がらせてきたのは、陛下が退位ということを言われてからだろうと思います。この一年間の事態をご覧になるとわかりますが、「平成最後の」という言葉が使われる。今、伊勢神宮に行かれたのが平成最後の地方巡幸であると言われていますが、つまりこれが最後だよねということによって、平成の初めにベタ記事にしかならなかった陛下の一挙手一投足が、見事に、新聞はおろかテレビでも極めて大きく報道される。だいたい伊勢神宮に詣でておられる陛下に向かって、「陛下、陛下」と呼び掛ける。これもなかなかなかったことで、従来行幸啓で車が通ったときに、みんなが奇声を上げて「陛下」と言ったことはないのです。伊勢神宮の前で、あの「陛下」という声を聞いたときに、この国も随分変わったなというふうに私は思いましたけれども、ただそれは悪いことではない。

今の高校生なんかに時々話をするチャンスがあるので聞いてみますが、だいたい陛下のこととか言うと、「ん？　今度辞める人？」みたいな話ですが、それでどう思うか聞くと、彼女たちのだいたい共通の言葉で言うと「カワイイ」って言うんですよね。これはボキャブラリーが貧しいというふうに私は見ますけれども、しかし決して悪い意味で言っていない。非常に親しい、ファミリアであるということの表現が、その「カワイイ」という言葉の中に入っている。ですから、あっという間に、本来ならば平成という言葉は、このまま元号が変わって次にどうなるのかな、陛下がずっと生きておられたらどうなるのかと思っておりましたが、ここで能動的に遮断をするということによって、見事に天皇陛下に対する注目度が高まった。

ある意味で言うと、「陛下と共に」とか、「陛下は国民と共に」ということが、国民の中であまり遠いことのように聞こえなくなった。これは平成を自覚する上での大変な効果だというふうに私は思っています。

「戦後」が消える令和という時代

そして、平成三〇年を全体として見直したときにどうなるかという動きが出てきている。もう一つ言っておくと、この平成というくくりで歴史を語る、あるいは平成はこうだったよね、というかたちで次の時代に入ろうとしている。令和の時代ですが、何が大きく変わるかというと、これで完全に人々の認識の中から、これまで絶対にこの近代を分けるメルクマールとして消えることがなかった「戦後」という歴史像が消えます。近代一五〇年の中で、明治、大正、昭和と言いながら、その昭和の真ん中、昭和二〇年で戦前と戦後で切る。そして、その戦後がその後の昭和の時代をずっと規定し、さらに平成になっても、ご承知のように一九九五年が戦後五〇年でしたから、戦後という認識がずっと続いていた。

小泉内閣のときの戦後六〇年もそうでした。そして、皆さんも記憶におありだと思いますが、いわゆる戦後七〇年がこの国で騒がれたのは、つい四年前ですよ。あのときは、安倍内閣が、この戦後七〇年で、侵略戦争と言われていたけれども、その戦争認識を変えるのかということで、総理談話を出すまでにものすごいストラグルがあって、それは新聞にも、あるいはいろいろなメディアでも大きく報道され、戦後というのは結局消えないのだなと私は思いました。

ただ、戦後八〇年はそれにしても苦しいだろう、と。戦後八〇年は、たぶん戦争の時代を知っている人がもうほとんどいなくなる。だから、次の一〇年間でどういうふうに戦後を規定し直すのかと思っていましたら、何のことはない、平成という時代をひとくくりすることによって、あきらかに時代認識としては戦後は向こうに追いやられた。

昭和とともにあった戦後は、平成を経て、次の令和の時代では、別に戦争を懐古することがないという話ではありませんが、その戦後という言い方の中にすべて押し込んできた歴史事象というものが、より自由になる。言い方も変わるでしょうし、それからその時代、その時代を認識している人の認識の仕方によって、それは大きくまた変わっていくのだと思います。ですから、この平成の時代、三〇年というものをくくったときに、戦後がいよいよ終わったのだというのが私の解釈であります。それは、これからたぶん近代一五〇年、つまり明治に始まる元号の世の中、明治、大正、昭和、平成、そして令和と、この五つの時代というものを改めて考え直す切っ掛けになると思います。

そして、今申し上げましたように、平成というのは個々のアイテムで見ると決してよくなかったのに、総じて見れば、しかし日本もそう悪い社会になってないんじゃないの、と。まあ格差、格差と言うけれども、それほどめちゃくちゃな社会になっているわけではない。そこをそこそこ評価するというのは、やはりあり得るんじゃないの、というのが私は平成というものの総括だと思います。

普通であること、普通であっておかしくないことというのは、なかなか評価がしにくいものです。でも、今回この譲位ということを経験することによって、それが、ああ、特に目覚ましい時代ではなかったけれども、陛下ご自身が「平成の時代には戦争がなかった。これは平和の時代であった」とおっしゃった。これが決め手です。そういう時代として、もう一度この時代を見直すことができる。

元号の再認識

それから、元号が使われるか、使われないか。私はこの令和という言葉が出てきたときに、もしかするとこれもまた多くのネタの一つとして、一時期は騒ぐけれどもあとはさよならとなるのかなと思いましたが、それから以後のこの二、三週間を見ていると、どうも令和という言葉は意外に平成よりも根づくのが早いかもしれない。つまり、元号というのは何かおもしろいんじゃないのということをみんなが思い始めた。今まであまりに元号ということを考えていませんでしたから。

だから、平成が終わるときに、これまた私は全然別の用務で呼ばれて行った高等学校で話をしたことがありますが、そのときに平成が終わるということについてどう思いますかと聞いたら、「今の時代が平成であることを知りませんでした」という子が多かった。「平成って、今度初めてそれがなくなるということを聞きました」というのが、多くの高校生諸君の偽らざる気持ちであった。「遂に君たちは我々を馬鹿にできなくなるんだ」「なんですか」「今まで君たちは、我々を昭和のおじさんとかダサイとか言ってきたけれども、遂に君たちも今度は平成のお姉さん、平成のお兄さんとして何やかんや下の世代に言われる時代になるんだよ」と言ったら、みんな「嫌だ〜」と言っていましたけれども（笑）、それで平成に気がついたというところがある。

だから、令和の時代というのは、そういう意味で言うと、おそらくこの普通だった平成の時代、そして戦後を終わらせた時代、その次にどういうふうにこの日本国民が世界と向き合っていくかという意味で、かなりおもしろい時代像を描いていけるのではないかと思います。

今、政治はどうなっているか

もちろん、これも個々のアイテムを見るとそんなに明るい材料はありません。特に私の専門である政治。これはもう、政治は今ほとんど語るのは難しいというか、語れないというか、私は安倍政権にはかなり批判的な目から、しかし全体としては随分評価をしてきたのですが、しかし、そういうことも、もう一つ一つの事象が起きるたびに何か言うという事態ではなくなるぐらいに、今の安倍政権というのはそれ自体が統治体制そのものになってしまった。

つまり、平成の最初にみんなが言っていた、これは私も言っていましたから「お前にも責任があるんだ」と言われたら、「はい、すみません」と言いますが、小選挙区制にすると二大政党制になって政権交代が起きるというのは、これは全部嘘でしたね。小選挙区はまあ残りましたけれども、政権交代も確かに起こりましたけれども、二大政党にはならず、今はあのときは考えもしなかった野党がなくなるというすさまじい事態になって、国会はいったいどうなるんだ、と。

国会も、あのモリカケ問題を通じて、野党が国会に出てくるときには、必ず政府についての追及と称しながら、ほとんど新しいネタはない。昔、野党は、それこそ昭和のおじさんの時代は、社会党なんかに本当に嫌なやつがたくさんいた。特に社会党の左派が、どこから仕入れてきたかわからないような怪しげな文書を片手に政府を追及するというような、「野党って、こうやってゲジゲジみたいに頑張るんだな」という時代がありましたが、今はそんなことはない。

もうきれいな、何かレイアウトされた紙を出して、それで淡々と説明して、追及するところだけ、要するに向こうが何も言わないものですから、ワアワア言う。このパターンをもうみんな知ってしまったわけですね。だから国会中継を見ても何もおもしろくない。また同じように野党がやっているんだ、と。しかも、野党は言うに事欠いて「何々新聞によると」とか言うわけですよ。「何々新聞によると」というのは、お前は調べてないのかという話になるんですね。新聞に書いてあることや、それから既に言われていることなんていうのは、政府のほうはもうわかっていますから、それを質問してくるのだったら、こういうふうに言い抜ければいいというのがもうわかっていますので、全然おもしろい話にならない。政策論争をやろうというふうに野党は言っていますが、野党のほうから政策を仕掛ける感じも全然ない。

安倍一強政治

どうしてこうなったのか。これはやはり、安倍政権はこの七年の間に、スタンスをかなりうまく変えました。その変え方というのは幾つかあります。元からそういうきらいはあったのですが、かつて野党が得意であった社会保障の分野であるとか、あるいは生活関連の分野であるとか、そういうことに関して、この内閣はスタートした当初から、特に途中からは意図的に、野党が出してくるような政策に対して、「これが出てくるなら、我々はこれだ」と、それに重なるように、しかしより実現できる政策をどんどん出していくということをやり始めたのです。

今、安倍一強と言われますし、その中で菅官邸と言われますが、菅さんがずっとやってきたのは、そういう意味での、ずっと情報を聞いていて、要するに社会保障や何かそういうものは、かつてはそれをやれば左とか右とか言われたけれども、もうそういう区分ではない。取り組まなくてはいけないのは、そういう区分ではなくて課題なんだということで、そういう課題をどんどん優先的に取り上げるということをやってきた。

これが今の官邸一強ということにつながっているわけです。官邸一強をやって、それでそういう政策が出ていけば、別に国民のほうは安倍さんを替えようというふうには思わないわけです。これまでは、保守党の、つまり自民党の内閣から社会党の内閣に替わる、あるいは民主党の内閣に替わるというのがもっと切実だったでしょうけれども、それによって政策も変わるのだということがあった。つまり、二大政党の対立というのは、政策が二つ全然別の象限にあって、これを推進するかあれを推進するかという提示の仕方をしてきたわけですが、安倍内閣はこの七年間でそれを全部のみ込んだ。つまり、安倍内閣は与党でもあり野党でもあるというかたちになってしまった。その外側にさらに野党がいるという構造になっている。だから、この中での議論というものはそんなにされるわけではないのだけれども、何となくそれでうまく進んでいく。

しかも、これもまた若い諸君に聞いてみる。だいたい阪神・淡路大震災の年に生まれた子が、今、大学生から社会人になるところですから、彼らに聞いてみると、僕なんかは、やっぱり「小泉さんなんか」と言うのですが、「小泉？　ああ」とか言われて、ほとんど頭にないわけです。ここ七年政治を独占してきた安倍さんのイメージで全部政治を語るのです。だから「何が悪いんですか」と聞かれます。「先生はいろいろ文句をつけておられるようですが、別にいいじゃん。何か悪いことをしているとは到底思えない。自分がこうやって生きていけるのは今の政権があるからで、これが何か違う人に替わったら面倒臭くない？」とか何か言われて、面倒臭いのかと。遂に、政治はそういうふうに言われるようになってしまったのか。だから我々としても答えようがない。ただ、今申し上げたことで言えば、そこで見事に安倍内閣は成功したのです。ちゃんと一つの統治体系の中に自らの統治体制を作ってしまった。

もう一つ言っておくと、その中でさらに強調しておかなければいけないのは、安倍政権というのは、「右」がＯＫを出せる唯一の政権なのです。括弧付きの「右」ですよ。イデオロギー的に右とは言いませんが、とにかく右的なるもの。これがＯＫを出せる政権です。安倍さんはそれを縦横自在に利用する。だから相当程度、実際に「右」を人事上で優遇したり、あるいは「右」の言っていることを自らが代弁してみせたりしますけれども、しかし決定的なところで右の要求を入れたりはしない。

それは我々の有識者会議でもそうでしたけれども、そもそも退位なさるべきではないという議論がたくさん出ましたけれども、それは「右」の側から代表的な人たちに言わせて、そして政府としては現実的な方策をとっていく。これが定着しました。だから、「右」の人たちは安倍政権に替わってほしくないんですよ。安倍さんの代わりの代表はもういませんから。逆に、そうでない人たちからしても、安倍さんがあそこを抑えておいてくれるから我々の政策が通るのだということになる。そういう意味では、予定調和的均衡が今の安倍政権にできあがっている。

硬直化した安倍体制

じゃあ、このままずっといくのね、と言われると、いくわけはないわけです。というのは、安倍政権というのは歴代の政権に比べて、政策担当期は長いけれども人事上の交代がほとんどない。ご本人自らがカムバック総理でそうですけれども、麻生さんしかり、菅さんしかり、あるいは途中から二階さんが入って、それからいったんは閣僚の地位を退きましたけれども甘利さんとか、そういうカムバックしたときの安倍政権の中枢にいた人たちが、まだほとんど皆中枢にいるわけです。麻生さんの後継者もいないんです。菅さんの後継者もいないんです。そういう点で言うと、みんなだんだん高齢化して、しかしそのあとがいない。

私は「この統治体制」と言いましたけれども、この統治体制の最大の弱点はここにある。つまり、元老政治と同じです。薩長藩閥の政治がなぜ滅びたか。それは政党政治に乗り越えられたという言い方をしますが、それだけではない。あの薩長藩閥を支えていたのは藩閥の元老がいたからで、元老というのはみんな明治維新の体験者ですからこれは再生産できない。そうすると、今の安倍政権というのは安倍さんによってもう一度自民党がカムバックしたカムバック政権である。そのときの仲間がずっとやっているわけですから、その後選挙をやって新しく入ってきた人たちや何かは、そことあまり関係ない。それでも、元老がいる間は支えるわけです。だから後継が出てこないんですよ。総理大臣や総裁の後継者が出てこないというのも珍しいのですが、それ以外の人もとにかく出てこない。これが現況です。

安倍さんは基本的にあまり内閣改造を好みません。それでも、とにかく党内を抑えるために時々やりますが、そのたびに出てくるのはとんでもない閣僚だったりして、まあ大変だなと思いますけれども（笑）。ただ、そこでも問題を提起しておきますと、一人問題がある閣僚を出したら、以前の内閣であったら、それだけで命とりになって内閣が潰れたりするのです。ところが、この内閣は今、統治体制の一環になってしまいましたから、責任をとるということは一切なく、「任命責任を考えております」と言った総理が、任命責任についてその後語ったことはない。それでもみんなはそれをまた忘れて、また次の閣僚がやられているという話になる。だからネタ化している。

そのうえで、みんなも政治を見るときに全体像を見るのではなく、今起きているこのおもしろい事象は何かということについてとりつく。ですから、フェイスブックや何かを見ていれば、間違いなく今はこのネタにとりついてるね、これで賛成反対を言ってるねとわかる。でも、たぶんひと月も経たないうちに、次のネタが出てきたらそれにすり替わっている。その状況がフェイスブックだけではなくて、今、政治を見る我々の目線の中にも出てきています。

だから、政権が替わるということが実態として感じられない。安倍四選があるかないかと言っていますが、四選があるかないかではなくて、安倍さんがいつ辞めるかわからない。「ポスト安倍はやっぱり安倍だ」というのが現況ですから。そうじゃない人がなったときにどうなるかというと、もうみんなカムバック政権のときの元老を遇したように遇する必要がないわけです。

そこからスタートを切ると、あの自民党がそれ以前の自民党と画期的に変わっていれば別ですが、そうでなければ必ずまた党内抗争が起きる。あいつがやれるんだったら俺がやれるという、この精神です。今は安倍さんがやれるから俺がやれるということは、みんなひと言も言えない。この状況がこの七年間を作ってきて、同時にその後の七年間の間に民主党政権はもうぼろぼろになり、そして民主党はご承知のように今のようなていたらくで、野党としてもやっていけるのかというところにまでなってしまった、ということなんですね。

じゃあ、どうしたらいいかということの中の一つとして言うのは、あの民主党政権は確かにみんながあとで悪し様に言うようにひどい政権でしたけれども、しかしその後の自民党政権の中に生かされている政策の芽は、あの政権の中にあったことも事実です。

さっき私はオーラル・ヒストリーの第一人者と言われましたけれども、オーラルのみならず回顧録を書きたいとか何とかという政治家が、政権の崩壊と同時にたくさん出てきたのは、あの政権しかありません。みんなそんなにすぐに書こうとは思わない。また次があると思いますからね。ところが、連中はみんな書きたいと言う。私は、そんなに早く歴史的評価が決まるものではないから今やるのは間違いですよ、と言ったのですが、多くの政治家が回顧録を出したり、オーラル・ヒストリーをしてもらったりしていました。

それを読んでみるとわかりますが、全部責任逃れです。つまり、全部責任は民主党にある。自分は悪くない。自分はこうしようと思ったけれども、あの民主党にやられた。それは、お前が民主党を支えていたんだろうみたいな話になるわけですけれども、これが国民の間にも入ってしまうわけです。「あ、責任をとらないのね」と。要するに何があっても「民主党が悪い、民主党が悪い」と言っているうちに、本当に民主党がなくなってしまったわけです。

私は、やはり今こそ、あの民主党政権を生んだ空気は何だったのか。その前の三代にわたる今とは考えられないぐらい弱かった自民党政権は何であったのかという、そういう歴史回顧というものを少しやってみる必要がある。やっぱり歴史からしか学ぶものはありませんから、そこから今の、とにかく七年間も続いているこの安倍体制。もう体制と言っていいと思いますが、与野党を超え、行政や政治も超えた一つの体制化したこの安倍体制は、だから逆に言うと非常に硬直化しています。この硬直化した体制をどういうふうに見ていくかということが一つ。

新しい時代へ向けて

それから、来年オリンピックが来ます。やがて大阪万博が来ます。これもかつて来た道のような気がするのですが、たぶんそれは昭和のおじさんの寝言であって、新しい世代にとっては新しい出会いの場であり、そしてそれを紡いでいく場であるだろうと思うので、その辺をこの平成の間に育った人たち、そして令和になってさらにそれに花を咲かせる人たちがどういうふうにやっていくのかということも、私はじっと見ていきたいと思うわけです。

つまり、我々の世代、昭和のおじさんは、僕は「天皇陛下が上皇になられて、実は千代田のお城のご隠居さんになるんじゃないかと思っていた」という話をどこかでしましたけれども、我々もだからやっぱり早くご隠居さんにならなくてはいけないのです。私はこの間ちょっと病気をしまして、私が今までやっていたことを自分のあとから来た連中に、いろいろなものを随分譲ったのですけれども、考えてみたら「お前たちに譲る」とか、「お前たちこそ頑張れ」とか言っておきながら、今まで彼らが実力を発揮していなかったのは私が出張っていたからだということがよくわかりました。引っ込んでみれば、みんなちゃんとよくやるじゃん、みたいなところで、しかしなかなか引退したくないというのがどこかにあるのだなという深い反省をいたしました。この平成の時代とともに反省するのは、そのなかなか引退しないお前だと言えばそれっきりですが、そういう感じがいたします。

だからやっぱり陛下はよく辞められたと思います。ただ、この天皇の問題も、女系天皇、女性天皇の問題や、それから宮家の問題等々、実は問題が山積しているのであって、できる限り早くこれに手を着けなければいけないという感じがします。

そして、もう一つ言うと、憲法改正の問題というのは、私はその「象徴としてのお務め」ということも含めて、今の天皇が提起しているのは、「私は本当にこの日本国憲法の第一条の天皇条項に支えられているのでしょうか」という根本的投げ掛けです。実は、大日本帝国憲法のときも天皇条項は触ってはいけないということで誰もやらなかった。触ってはいけないというわけではないのに、実は今の憲法においても天皇条項を変えようという話は全然起きていません。みんな九条とかそっちの話です。でも、私は上皇様ができるこんにち、もし日本国憲法を議論するのだったら、天皇条項をもう一度議論したほうがいいのではないか。そしてその中で、象徴としてのお務めとかそういうことを考える機会にする。これはチャンスがないものですから、なかなかそういうことが考えられないのですが、やったほうがいいのではないかというふうに思っております。

前にも一度ＮＨＫのテレビで、ここは出しちゃ駄目ですよと言ったのに、最後にちろっと「憲法はまず天皇条項から手を着けたほうがいい」というところだけが流れまして、「右」から相当叩かれて、あれは天皇制廃止論者だと言われた。私は廃止なんてひと言も言っていないのに、そう言われてかなり長いこと意地悪をされました。メディアって気をつけたほうがいいですね。ここは駄目ですよと言ったのに、最後の、本当にちらっとしたひと言だけぱっと出されました。きょうもメディアの方がいるかもしれませんが。まあそれにも慣れたと言えば慣れたのですけれども（笑）。

まあ、そんなことでございまして、きょうお話をしたのは、とにかく覚えておいていただきたいのは、たぶんこれで戦後ということに対する感覚が変わる。それから、新しい平成や令和の時代に生まれてくる人たちの感覚というものをよく見ておかないと、我々の感覚だけで見ていると先を読み違える、この点を強調して、きょうの私の話を終わらせていただきたいと思います。どうも長い間ご清聴ありがとうございました。

昭和最後の日

初出：『文學界』二〇一九年六月号
原題＝「重いものを軽く」

実のところ、昭和天皇が亡くなられた「あの日」のことは、うっすらとした記憶しかない。逆に今はっきり覚えているような気分になるのは、オーラル・ヒストリーによる記憶の幻影的再生に他ならない。朝まだきから宮中も内閣も、「その時が来た」とばかりに、メディアに気づかれぬように動き始めた。そんな印象は、すべて後になって、藤森昭一、石原信雄、古川貞二郎といった当時の関係者からの証言で、私の脳裏に残ったものであった。

寒い日でくもっていた気がする。一月七日だからまだ大学は始まっていなかった。もともと一日家にいる日だったので、朝からテレビを横目に、何か仕事をしていた。そして時折、「ついに崩御されたか」の思いにとらわれたことだけは事実だ。連日の新聞報道の過熱ぶりもあったが、「その日」をどう迎えるか、数年前から老舗のさる「論壇月刊雑誌」の「昭和史プロジェクト」に関わっていたせいだろう。昭和天皇の時代をいかに総括するかは、しかし難儀を極める課題であった。でも三〇代後半の新進の近代政治史学者としては、この問題を避けて通るわけにはいかなかった。アカデミックな分析はなかなか出来ないにしても、ジャーナリスティックなアクセスは可能かもしれない。魚心あれば水心とはまさにこのことだ。

編集部を若手に一新したばかりの『中央公論』から「昭和史プロジェクト」への参加を求

められた。大別して二つの方向性が示された。一つは『中央公論』が、「時代」をふり返るたびに『中央公論』の毎号を飾った論文、創作などを精選し〝特集〟にまとめる恒例のやり方にならうものだった。これまでの〝特集〟は、「時代」を明らかに色どったいかめしく、重々しく、身を正して読まねばならぬ文章の羅列であった。「時代」に『中央公論』はこう先駆けて進んできたぞ、いや時代の趨勢に飲みこまれず、『中央公論』はこう抵抗したぞ、といった活字メディア全盛期の「時代」をふり返る企画であった。

しかし、昭和の終焉にあたって、「それはもう無理だよね」、というのが編集部と私の共通了解であった。じゃあどうするの？　ライトエッセーに着目しよう、軽い読み物でも「時代」をよく現していると思えるものを、取り出してならべてみよう。昭和という重い意味のある「時代」を〝軽み〟でつつむ志向だった。

それは「『中央公論』で昭和を読む」という特集となって、時をおかずして四回分載（四月号～七月号）で、昭和天皇崩御の年にお目見えした。だがその準備段階は大変であった。部外秘ということで、候補作を選ぶのは、私一人ということになった。そこで数ヶ月間、ほぼ毎日、私は大学の研究室ではなく、京橋にあった中央公論社ビルに通いつめた。地下の書庫に「出入り御免」となって、昭和の六〇年間の『中央公論』のバックナンバーを、一冊一冊とり出しては、表紙と目次と、にらめっこし続けた。重厚な論文や襞のある創作と違って、軽い読み物はけっこう数があるので、見わけるのに時間を要した。私はすべてを読むことは無理なので、政治・経済・社会・文化のその「時代」の〝世相〟を現していると思えるものをカンでピックアップしていった。荒よりで何と大小あわせて二二〇本。それを五〇本にしぼりこんだ。最後は石川好さん、加藤典洋さんそして杉山隆男さんといった当時新進気鋭の三人の論客たちとこれらを読んでの座談会を行った。確か皆コーフンして、二日間、一〇時間以上の大シンポジオンとなったが、それを雑誌にのせることは到底出来ず、堅実でおとなしめの〝特集〟になったように思う。結局三三本が選ばれた。それにしてもあの破天荒の座談会速記録はどこに失せたのだろう。

今一つのプランはもっとミーハー的で、昭和元年は一二月最後の一週間しかなかったから、昭和元年生れの人間をさがしあててみようかというこれまた当時にはめずらしい企画となった。藤森昭一元宮内庁長官に代表されるように「昭一」という名前の人がけっこう目立ったと記憶する。この作業は、わが御厨ゼミの学生六人を動員し、「人事興信録」を片っぱしから読み倒すという単純明快そのもの。今では考えられぬ時間のかかる手作業だった。学生たちはノルマを決めて、「中央公論社」の作業室で一〇日間ばかり熱心に作業に従事した。実はそんなに昭和元年生れはいない。大海の中から一にぎりの砂金を見つけるような企てだった。運のよい学生は、一日で五人、悪い学生はゼロ、なんてことをゲーム感覚で楽しんだ。結局これも「崩御の日」が来るまでの準備作業をへて、早くも『中央公論』三月号（二月発売）に、「〈証言〉昭和元年生れ一〇人の『昭和史』」と題してインタヴュー録が掲載された。

これらが「あの日」を際立たせてくれる記憶だ。「あの日」の前の準備企画が「あの日」を境に世に問われていったわけだ。昭和天皇とその時代をどう総括するか。その重さにたえかねて、ライト感覚で迫ったこと自体は、その後の私のアカデミックな方向性をも決めたように思う。これ以降、多くの昭和天皇関連の資料や記録が世に出ることになった。これらにすーっととけこんで、生活感覚に興味を持ちながら、解題や解説を書けたのは、重いものを軽くという

「あの日」をめぐるプロジェクトの実践ゆえだった。今、平成の三〇年間が、もっと軽くもっと自在に皆にこづきまわされているのを見て、感慨ひとしおのものがある。

初出：『京都新聞』二〇一九年三月二五日夕刊

平成が終わる

「平成」が終わろうとしている。日本人が再び「元号」という日本独特の歴史の捉え方に、大いなる関心を抱くようになった。「平成」の終焉に多少とも関係した人間の一人として、これは予想外のことであった。特に「昭和」から「平成」への代がわりの時期に、まさに日本の国際化が進んでいることもあり、いよいよ西洋暦の時代だと思った人は多かった。企業や大学などでは、世界標準に合わせるという言いまわしで、西洋暦を採用したところも多いと聞く。

それは、「昭和」という元号のあまりの大きさ、長さにも深く関連していた。まさに戦争と平和の双方を経験した時代として、「昭和」には日本人の様々な思いが詰まっていた。あの戦争との関連で、「昭和」という元号だけは使わないとしてそれを実行した人がいた。いや、高度成長期はまさに「昭和」と共に歩みを進めたのだと広言した人も知っている。善きにつけあしきにつけ、「昭和」は個性がはっきりしていた。

ポスト昭和——「平成」は、これに対していかにも無個性にみえた。それから三〇年余、今上天皇が退位を言あげしなければ、誰もが「平成」という元号の時代をふり返ったりはしなかったろう。政治も経済も社会も、何となくパッとしない時代として、総括する気さえおこらなかったかもしれぬ。戦後五〇年、六〇年、七〇年と、昭和の尾を引く「戦後」という時間感覚の方が、はるかに先鋭かつ鮮明に受けとめられていた。

今上天皇は高齢化社会における自らの高齢化の事実を明かすと共に、「平成」を自覚化した天皇の「象徴としてのお務め」をいかに果たされてきたかを、あの「天皇メッセージ」以来、くり返し国民に訴えてきた。そしてそれを国民はいまさらのように肯定的に受け入れた。「平成」になって増えた地震および自然災害に対して、現地へ赴き、国民に声をかけ国民とともに祈る象徴天皇の姿が、歴史の中に浮き彫りにされる。「平成の時代に日本に戦争がおこらなかったこと」、「平成は平和の時代そのものであったこと」を、今上陛下は明言している。時代は動くという。しかし時代を表象する記号として西洋暦ではいかにも印象がうすい。今上天皇は自らの退位という能動的行動によって、「明治・大正・昭和・平成」という近代四代にわたる「元号」による歴史把握を生き生きとよみがえらせるのに成功した。しかもこれからの皇室は、上皇、天皇、皇嗣殿下の三代が国民の前に立ち現れる。皇室の多様化に彩られることになる。

メディアと並走する「平和」の象徴天皇は、みごとに日本国憲法下の天皇としての個性を発揮された。そして「平成」という元号の終焉をも自ら演出することによって、一つの時代にメリハリをつけられることに力を尽くされた。かくて近代日本を歴史的に画する「元号」四代は客観化されると同時に、生き生きとした時代の印象をも与えることとなった。間もなく公表される新元号は、そんな私たちに何をもたらしてくれるだろうか。そこにワクワク感があるのは確かである。

時代と向き合う

——語りと対話

東京を「広場」と「壁」から考える――大都市における権力と空間

二〇一九年七月一八日
東京大学先端科学技術研究センター一三号館にて
聞き手は松田達氏（武蔵野大学工学部／建築意匠・建築計画・都市計画史）
初出：日本建築学会ウェブサイト『建築討論』（https://medium.com/kenchikutouron/）

――今回の『建築討論』の特集では「都市と政治――「壁」と「広場」から見えるもの」をテーマにしています。世界が「接続」から「分断」へと向かっているような空気感が、二〇一〇年代後半からみるみるうちに可視化されてきたという危機感が、このような特集を組まなければいけないと思った背景にあります。

御厨先生は『権力の館を歩く』や、まとめられた『建築と権力のダイナミズム』において、「建築と政治」の関係を多様な形で問われておられます。その延長線上のひとつとして、今回「都市と政治」の関係について、可能であれば「広場」と「壁」についても触れてお話し頂ければ幸いです。

「壁」のない東京における「所払い」と「入府税」

御厨　趣旨は分かりました。その「広場」と「壁」という話を聞いてすぐに思ったのは、自由民権運動のことです。自由民権運動っていうのは、とにかく藩閥政府に対する運動でしたから、それなりに政治的な力を持っていた。権力の側からすると、そういう政治運動を排除することは、現在でも難しいわけですね。そこで政府は明治二〇（一八八七）年一二月に保安条例を発布して、自由民権運動、つまり反体制運動をやっている連中を、東京から一斉に退去させるという政策を実際に行うわけです。東京の中心である皇居から三里（約一一・八キロメートル）以遠に自由民権派の人物を追放し、その連中がまた影響力を持つと大変だから、三年間そこから内側には入っちゃいけないということを行った。つまり「所払い」ですよね。

ところが、これが成功したのかどうか分からない。というのは、パリのように城壁があって区切りがあるところだったら、門のところだけ関所みたいなものをつくって入らないようにしていればいいんだけど、東京なんて何にもないところで三里四方に追放したとしても、そんなのその日のうちに戻ってくるんじゃないかと思うわけですよね。あれは一体、何であったのか？　東京というのは、特に近代都市になってから、内と外を分け隔つとかいう発想はなかったと思うわけです。だから所払いで追放された連中は、もし見つかれば追放されるけど、戻ってきてもそんなの分からないじゃない。それからは議会を開設し政党を発展させるための運動に変わっていくわけだけど（帝国議会開設は明治二三（一八九〇）年）、江戸や東京で所払いをやるという、ちぐはぐさの面白さがあります。

さらに当時の政策では、東京がいわゆる市区改正をはじめとした都市整備をしていこうとする時に、入府税を取ろうという話になるわけね。東京府として。東京に入ってくるいろいろなものに税金をかけようとする試みがこの時期にあるわけだけど、これがパリだったら城壁があるから、そこから都市改造のお金をひねり出すことが出来るわけですよ。結局、入府税はやらないことになるんだけど、最大の問題は「壁」がないからですよ。いくら関所をつくっても、どんどん人や物が入ったら意味がない。にもかかわらず、所払いといい入府税といい、そういう西洋的な発想を日本で考えた。うまくいくと考えたのか、そういうものが出来ないことをそこで確認したのか、それは分かりませんけどね。もちろん、宮城つまり皇居は、周りがとにかく水で囲われているので、そこは隔絶されているといえば言えるんだけれども、明治のはじめのこうした出来事以降、境界をつくってこちらから中には入れないようにするという発想は、基本的に東京にはなかったような気がしますね。

日本という「壁」のない国

だから治安の面でも東京が大変なのは、そういう区切りがあるところであれば、出入口が集中するから、そこで起こった物事をおさえればいいんだけど、ないもんね。これはある意味、日本全体と関わるところがあって、そもそも日本というのは大陸国ではなくて、島国ですからね。日本と他所の国を遮るのに「壁」がない。あるとしたら海の「壁」。要するに、海を渡ってこられるかどうかという問題になる。

江戸時代になぜ鎖国が出来たのかというと、海を渡ってくるやつがたくさんはいないからです。しかも日本の周りは荒れている海が多いし、時化なんか起きると、あっという間に船がだめになっちゃうでしょ。だから他所から人が入れない。天然の要害といわれて、これで日本は守られていた。ところが、明治維新の頃になると蒸気船が出来ているから、海に囲まれた日本では、これだと逆にどこから入ってくるのか分からないわけですよ。日本には海しかないから、「壁」を建てられない。

だから日本を守るために「壁」で遮るという発想は、事実上ずっとできないわけです。大日本帝国時代に、唯一、陸と陸のあいだで国境を接したのは樺太ですね。日露戦争の後に南樺太が日本のものになった。樺太はもともとロシアですから、南北のあいだを区切った。その区切りをどうしたのかというのは、僕も当時の資料を本格的に研究したことがないから分からないけど、それにしても陸で他国と接したのはそれくらいですよ。だから同じ陸のなかで、向こうとこちらで違うことが起きるということは、日本のなかではない。だから区切るという発想が出てこない。明治の近代化以降も、日本には雑多にみんなが住んでいる状況が、ずっと続いてきたんじゃないですかね。

――大変興味深いです。

皇居前広場における血のメーデー事件

御厨　だから逆に、クレムリンなんかに行ってびっくりするのは、よくもこんなに仕切るものがあるんだということですね。荷物を預けないと入れないとか、実にいろんなことがあるからね。それが政治的になるというのは、まさにそう。

日本の場合、唯一、広場が政治的になったのは、戦後の皇居前広場だけですよ。皇居前広場はね、広場としては結構機能したんです。戦前も白馬に乗った天皇が出てくるということはあったんですが、むしろ人のいない空間にするということに意味があったわけですね。とにかく人がいない空間、だからこそ神秘的かつ偉大な空間をつくり、その向こう側には皇居があり、こちら側には東京があるという、そういう仕組みだったわけです。戦後はその偉大なる空間から皇居になだれ込もうとした。昭和二〇年代に、学生や労働者による人民の運動は、天皇と国民が直接対峙するために、とにかく皇居前で大暴れをするわけですよ。それで車に火をつけたり、乱闘が起きたりするわけです。この乱闘でいちばん有名だったのは、昭和二七（一九五二）年五月一日の血のメーデー事件ですね。メーデーで皇居前が荒れて、騒がしいことになった。

ただ、その関連でいうと、僕は今回の令和の元号の初日を五月一日にしたということに驚いた。一月一日なら分かる。そうじゃなくても四月一日なら分かる。だけど五月一日というのは、建築や広場の記号論的な解釈からいうと、明らかに皇居前広場が血染めにされた日なんですよ。過激な反体制運動が起きて、火が燃えた。その日にどうして即位の日をもってくるのか？　これはブラックユーモア以外の何物でもない。だから不思議だったんだけど、あまり政府はそういうことも考えなかったんだろうね。僕は驚いたと言ったけど、僕が驚いたことにみんな驚いたっていうんだね。そうだろうかね？

だから広場っていうのは、それくらいもう、日本国民の頭のなかから消えているんだね。もちろんさっき言った「壁」もない。要するに「壁」も「広場」も消えている。そういうことが近代日本で起きていたんじゃないかと、そう感じていた。日本は遮るっていうことを、嫌いな国民なんだね。

——象徴的には、門があるかもしれませんが。

御厨　そうそう。門はいろいろあるんだけど、だけど門は遮るってものでもないからね。だから、そういうわけで、いま二つの話を思い出してお話をしたんだけれども、やはりヨーロッパとか他の国とは違うなという気がしますね。なぜそれが違うのかということを考えると、欧米やアジアでも顕著に見られるのは、人種が違うってことだろうね。「壁」っていうのは特にトランプなんかがやっているのがそうだけど、現実的に人種の「壁」になるわけでしょ。だから、ユダヤやイスラエルもそうだったけど、「壁」をつくることによって、人種というものを確実に地域において分断するという、そういうことを行う。でも日本にはそれがないわけですよ。もちろん、日本が一様であるとは言わないし、アイヌがいたり、いろんな人がいるわけだけど、総体として、違う人種を「壁」の向こうに追いやるという発想はないわけね。一言いっておくと、様々な偏見や差別意識から、同じ日本人を隔離するという発想があり、現にその意味での格差のある地域があったことは事実です。だから、江戸が東京になって、東京警視庁という、ひとつの大きな警察が治安の中心になるんだけど、東京を守るっていうのはけっこう大変だったと思うんだ。みんなバラバラに住んでいるし、そこには遮られるものがないからね。まあそういうことを今回のテーマから考えていました。

政党の分裂をつなぎとめた自由民主会館

——都市のでき方も違いますね。パリは城壁をつくってまた壊してという、城壁がメインの歴史ですし。だけど、日本に城壁はない。

御厨　そうそう。日本にはまったくそういうのはないですからね。不思議だけど、違いはそこに見えるものだなと思いましたね。さて、まさに建築と政治、都市と政治について考えるということに関して、もうひとつ話をしておくと、僕は『権力の館を歩く』で、政党本部というものを結構分析しました。そこからの類推で、ひとつ言っておきたいことがあります。

自民党には自由民主会館という、もうだいぶ古くなったけれども一九六〇年代につくった政党本部があるわけですね。その政党本部が出来ることによって、いわばひとつの政党の生まれついての棲み家というものが特定されたわけです。これがいまに至るまで、自民党本部として続いているわけね。あたり前のことのように思うけど、そんなこともなくて、もし分裂の激しいところだったら、政党本部も変えていかざるを得ないわけですよ。ところが幸いなるかなというか、不幸なるかなというか、どっちだか分からないけど、自由民主党というのは大分裂を起こすことなく来ちゃったから、ここにずっといたことになるわけです。

で、いまはもう辞めましたけど、高村正彦さんという副総裁がいて、たまたま僕は彼の副総裁室で『権力の館を歩く』について話をしたことがあった。その時に高村さんが言ったことは、非常に象徴的な発言で、彼は「権力の館って君に言われて、自由民主会館は、確かにもう古いし不便だし、いろいろあるけど、でも他所の政党に比べて、この自由民主会館があったからこそ、自民党は大きな分裂をしなかったような気がするよ」って言うわけです。つまり「館」あるいは建物というものによって、彼らがやろうとしている政治集団が規定されているわけです。だから結果的に分裂が起きないんだよね、というわけ。ここは全盛期にはみんなが握り飯やカレーを食いに来たところであって、要するに館といいながら、そこでは飯を食わせていた。飯を食わせると、みんな元気になってまた国会に行くという、いわばそういう館だった。こんなものは自民党にしかないわけですよ。

高機能な共産党本部と「電子の館」としての旧民主党本部

もちろん、例えばいま代々木の共産党に行けば、共産党の館っていうのは本当にビルとしては素晴らしい、環境にも配慮された高機能なビルです。そこに食堂もあります。だけど、そこで人々はワイワイガヤガヤしながらっていう感じには全然なっていない。入ってくるときにも誰何《すいか》されるしね。もちろんいまは自由民主会館にも警察が周りにいるけど、昔は誰何されずに誰でも入ったのよ。その時代っていうのは、あっという間に総裁室まで行けたしね。そういうある種の「移動の自由」というものがある空間だった。これは政党としては普通やらない。治安上、危ないからね。でもあの政党は、最後の最後までそれをやっていましたよ。いま共産党なんかに行くと、鍵の管理は厳重にやっていますからね。これはもう、どこでもそうですよ。だけど自由民主会館にはそれがないという、不思議な感じでしたね。

もうひとつ考えるとね、一番新しいところで、もう潰れてしまいましたけど、旧民主党の政党の館は、あの目玉のペンタックスのビルだったわけですね。そのペンタックスのビルを見に行った時に、これは本当に中小企業の入っているビルに中小企業が入ったような感じだと思いました。何かあまり構うところがなくてね。しかも行ってみると、そこに食堂があるわけでもなく、みんなが集まってワイワイやれる空間があるわけでもないんだ。そういうことは必要ないと、民主党の諸君は思っていた。だから、そこに人が集まるんじゃなくて、できるだけ中の電子的な設備、そこから何かを送ったりとか、そういう設備だけはすごくいいわけね。ＷｉＦｉも入っている。記者がすぐにそこで、全国に記事が打てるようにと。党員もそういうことが出来るようになっているわけです。だから、むしろどちらかというと「電子の館」なんですね。この電子の館があっという間に崩壊した。やっぱり人間的なつながりが、建物のなかになかなかったんだね。

——ある意味、「広場」にはならなかった。

御厨 ならなかった。「広場」にはならない。うん。そこにみんなが来て、限定的なことをやっては帰っていくという、ある種、「とまり木」みたいなものだったわけね。結局、さっきの自民党のような広場的な役割を果たさなかったわけですよ。だからもう潰れちゃった。だから潰れたっていうと怒るかもしれないけど、まあいまはもうなくなっちゃったからね〔現在、旧民主党本部には、国民民主党本部が入居している〕。

日本には「壁」も「広場」もないといった。だけど広場的なものは不思議な存在で、そういう発想からいうと、政治的には自民党のなかにあって、そこでみんながワイワイやれた。その時代の自民党が、自民党としては、まあはっきり言えば黄金時代だったたね。いまの自民党にはその元気さはもうありませんけどね。政治がこういうものを持つっていうのは不思議なものですよ。

都市文化への憧れがつくりだした社会党の「社会文化会館」

一方、潰れた日本社会党にも、政党本部があった。三宅坂につくったのは一九六四年。「自由民主会館」に対して「社会文化会館」といった。一九九六年からは社会党を継いだ社会民主党の会館になり、その後、老朽化して二〇一七年に取り壊されましたけどね。面白いなと思うのは、自由民主党の場合はそのまま名前を使って「自由民主」会館といった。だけど江田三郎が日本社会党の建物をつくったときは、「社会文化」会館といった。上に大きなホールをつくって、そのホールは単に党大会を開くとかだけではなくて、近隣の人たちが来て借りてもよいというホールにした。しかも一九六〇年代当時、そこにスタインウェイのピアノを買って置いたんだよ！　スタインウェイのピアノのある会館ってね、広告に出てたよ。だから要するに、本当に「文化」なんだ。そこで音楽会もやりたいと。それは社会党の人のためだけではなくて、いろいろな人のためにね。その頃というのは、とにかく広場的な発想だよね。そこに人を集めたいという話があった。その頃の社会党というのは、その場所を開こうと思っていたんだね。それが社会党の最盛期。そこから後は、みんなスタインウェイのピアノといっても、なんでこんなものを置いたんだっていう話になって、誰も借りなくなった。もう社会党の大会だけをやればいいというビルになって、どんどん社会党は閉ざされた政党になっていく。国民政党から、労働者だけが頑張れよっていう政党になっちゃったから。

――　建物の悪さというより、政党の問題でしょうか。

御厨　その建物の使い方が悪かった。スタインウェイのピアノが弾けるところだったら、そこで定期的に音楽会をやったりして、社会党の支持者以外の人も集めるようにしたら、ずいぶん変わったと思うんだよ。それがついに出来なかったんだよね、うん。僕も昔の資料を見ていた時に、スタインウェイのピアノがある会館って見た時には、本当に目が点になったもんね。そんなものが置いてあったんだと。当初、広くいろいろな人に知ってもらおうと「社会文化会館」という名前にした。労働者だけの政党で、労働者だけが集まる、そういう政党本部にしてはいけないということで、もっと開かれたものにするという発想だった。そういう意味で、発想としては握り飯とカレーを出して、飯を食って「エイエイオー！」とやる、田舎っぽいダサい感じの自民党と、都市部に憧れて、みんなで都市文化のなかに溶け込みたいと思った社会党とでは、違いが非常にはっきり出ていたんですよ。いまは政党本部の会館を見ても、もうそんなことはないけどね。そんな時代があったということは、今日のテーマを考える上でも、なかなか面白いんじゃないかと思うんだよね。

——自民党の場合は、それが広場になり、そして権力の源泉になっていったというわけですね。

御厨　そうなる。そういうことなの。だから地方から出てきた人というのは必ず自由民主会館に寄って、そこでみんな部屋に入る。特にあの頃、総裁の部屋も開放されていましたから。みんな総裁室を覗いて、「お、総裁はこういうところに座るんだ」と、座ったりなんかするわけね（笑）。そこで写真を撮ったりして帰るわけね。そういう活気があった。一方、社会党の方は、なんというかもっと高級な演奏会を聞きに来るという、ある種の都市への憧れだよね、そういうものがあった。一九六〇年代というのは、そういう政党というものが夢を持っていた時代だったんだね。高度成長期っていうのは、そういうもの。そういう夢を、やっぱり政治も蓄えていたってことでしょ。

「政治」の全体性を支えた「広場」

——では、政党の分かれ道になるのは、何だったんでしょうか？

御厨　やっぱり江田さんみたいな構造改革派といわれる人たちが、社会党を昔の左翼政党から脱却させようとしたことが、うまくいかなかったからかな。日本の場合は不思議なことに、社会民主勢力というのは育たなかったから、結局その文化と一緒に滅びていった。だんだん左翼が強くなって、いわゆる教条主義的な左翼政党になっていった。自民党と社会党の二大政党といっても、一九七〇年代以降からは、社会党は絶対政権が取れない政党になっていくよね。自民党の場合はいま言ったような、出たり入ったりの楽しさがあった。だけど、それが崩れていくのはやっぱり一九九〇年代以降かな。これまでの大きな派閥が政権を取るという流れが崩れ、誰が次の総理になるのか分からないみたいな。自民党もあの時、小沢一郎さんが出ていって割れ始めたでしょ。割れ始めてそれをまた引き戻して、いまの状態に戻すのに一〇年かかったからね。この一〇年の間に自民党は民主党に政権を譲って野党になったし、それでこれまでのような、自由民主会館に人がたくさん来て、うんと飯が出てという、人海戦術の体制ではなくなった。いまはだから本当にその残骸。残骸って言ったら悪いけど、古ぼけた昭和の館になっちゃったんですね。日本の政治が一番元気だった時代っていうのは、そういう政党本部にも可能性があった時代で、そこが開かれていたということは、「広場」の発想につながると僕は思う。

—— いまの自民党は、その「広場」がなくても機能はしているということでしょうか。

御厨　まあ、機能はしているんだろうね。さっき高村さんが言ったみたいに、自由民主会館が党員や議員をつなぎとめている唯一のもの、ということになっているわけでさ。社会党の方は、もうとっくに党は潰れ、そして会館もなくなって消え失せたわけですね。

—— そうすると、政治にとっても広場的な場所や空間があるということは、非常に重要だったわけですね。

御厨　僕は重要だったと思いますね。そこで自由に議論ができ、なんというか居場所があって、居場所があれば人はしゃべるんですよ。で、しゃべれば自然に政治の話になっていく。そういうところがなくなった。フェイス・トゥ・フェイスで話せる、いま風にいえばカフェみたいな場所がね。それがなくなったというのは大きいんじゃないですか。そういう意味では、政治がそういう広場的なものを失うことによって、政治そのものが本来持っていた機能を失っていったような、そういう感じがしますね。

――「広場」をつくろうと思っても、難しいんですよね。

御厨　そうですね。あの時代だからできた。いま「広場」をつくろうとか言っても、みんな「え？」って思うでしょ。なんというか、その「広場」が「政治」というものの全体性を支えたんですね。いまは多分、カフェで集まったりとかしても、政治のある部分について、こんな法案を通そうとか、こういう政策をやっていかなくちゃいけないとか、政策論になっちゃって、政治全体の構想とか、やっぱり世の中をこういう風にしていかなきゃいけないよねとか、日本の国ってこういう風にしなきゃいけないよねみたいな議論は、おそらく出ないと思うんだよね。そういうことが出来た時代というものがあって、その時代の広場っていうものは、よかったんだろうねと思いますね。

――そうすると、ある意味、次の「新しい広場」みたいなものを見出した政党が……。

御厨　うん。次はね、それが伸びる可能性があると思いますよ。いまはそれ以外の政党も、例えば共産党本部は、いわばなかで自足できるような、環境的には本当にいいビルだろうけど、そこから何か発展があるというより、みんなそこに安住の地を求める閉鎖された空間ですからね。

それから公明党は公明党で、千駄ヶ谷の裏に党本部の公明会館がありますけど、これもなんていうのかな、もう車でも入れないような狭いところに建っていますから。公明党の議員は、千駄ヶ谷の駅から歩いて来るらしいけどね。そういうところにみんなこもっている、これも閉ざされた空間ですよ。だからそこから何かが生まれるとは、到底思えない。やっぱりそれを市民に開いて、国民に開いて、一緒に何かやりましょうっていう、ある種の楽しさ、それはいまは使わないようなピアノではないと思うし、いまカレーをつくると言ったって人が来るかどうか分からないけれども、何かそういう媒体があって、そこでとにかく話がしやすい場所をどうやってつくるのかっていうことは、これは建築の大問題だね。

新宿における「広場」対「道」という戦い

―― いまのお話だと、「広場」はやはり政治的な権力の源泉になるような場所だったと思うんですけど、逆に例えばエジプトのタハリール広場とか、中国の天安門広場とか、台湾の総統府前広場もしかりですけど、広場が権力を反転させる契機になるものとして使われる場合もあるわけですよね。だけど、日本にはそういうものはほとんどなかった。

御厨 ないということですね。まあ皇居前広場くらいかな。それ以外のところには、ほとんどない。だから結局いまも国会の前だって、みんなが集まって抗議行動をするというのは安保以後はないでしょ。それが出来ないようにしちゃったからね。みんな追い出すようにしちゃった。集まらない、集まらせない、というのが基本的にあるから。

もうひとつ類似の事例があるとしたら、一九六九年前後の新宿ですよ。新宿駅西口地下広場のあの半地下になっているところには、そこに反体制の人たちが集まってフォークソングを歌ったり、演説をしたり、全共闘系の学生たちがたむろしたりという、まあ自由な広場的な機能というのが一九六九年前後に展開したわけですね〔一九六九年六月二八日に、反戦フォーク集会と機動隊が激突し、道路交通法が適用されて排除されるという、反戦フォークゲリラ事件が起きた〕。

だけど、権力の側はそこを、「広場」ではありません「道」ですと言ったわけです。「道」である以上、立ち止まったらいけませんと。要するに「広場」っていうのはそこでみんながたむろする場所だけど、「道」だからたむろしちゃいけないよっていうことにした。当時の東京都と国が見事なもんだね。「広場」と言っちゃいけないということにしたので、「広場」対「道」の戦いになって、最後は警察が導入されて、入れないようにしちゃった。

―― 坂倉準三が設計して一九六六年に完成した、大型百貨店や地上バスターミナルとも一体となった、とても大きな空間ですね。

御厨 そうそう。もう非常に大きな。新宿で一番人が通るところでしたからね。何かやっていれば、みんなそれに惹かれて来るみたいなところだったけど、それがなくなってしまった。権力によって刈り取られたわけですよね。当時、学生運動も刈り取られていった。それ以後は、もう広場的なものというのはないだろうね。

―― 新宿西口地下広場も、広場と名がついているけれども、結局、道であり、車のターミナルになってしまった。

御厨　そうそう。ターミナルになっちゃった。広場的機能から道路的機能へと変わった。人と人をつなぐ要素を持っていた広場が、とにかく歩くだけの非常に無機的な、人と人とを分断する装置に変わった。その変化が一九六九年という、いわゆる学生運動とそれを終わらせようとする権力の側との戦いの時代にあったということは、注目すべきことだと思いますけどね。

「広場」という発想のなかった日本

——今回、東京に広場がどれくらいあるのかなと思って調べようとしたのですが、広場といえる広場はほとんどなくて、もしかしたらあえて広場をつくらなかったのか、それともつくれなかったのか、どっちなんだろうということが、逆に興味深く思いました。

御厨　そうだよね。いまになって、みんなそういう公共空間がほしいとかいうじゃない。だけど当時、政治的にいえば、そういう広い場所をつくるのは危ないという発想があったと思うよ。そこで何をされるか分からない。つまり治安というものを考えた時に、そういう自由にしておける無目的なものがあるというのは、権力の側からしたら非常に怖いからね。だからおそらく、いまそんなものをほしいとみんな言い出しているということは、そこが政治的な空間になるということを、誰も考えていないということだろうね。こんなせせこましいところに、もう少し広い空間がほしいよねという、いわば非政治的に空間をほしいということであって、それ以外のことではないわな。

——越沢明先生の『東京都市計画物語』のなかで、関東大震災後の帝都復興計画で、上野広小路と神田万世橋の一帯に、大きな広場をつくる計画があったことが書かれています〔越沢明『東京都市計画物語』筑摩書房、二〇〇一年、五八頁〕。でもその計画は、小規模化していって、結局ポケットパーク的なものしかできなくなったということなんですね。東京は、都市計画的に広場をつくろうとしてもどんどん潰れていって、だから実現された広場がほとんどない。

御厨　ないってことですよね。東京の場合、人口がどんどん増加したから、まず広場よりも何よりも自分の住居ですよね。住居不足という問題があったから、公園みたいなものを大きくつくるよりは、何か住宅団地みたいなものがいいという発想が先だったかもしれないよね。

——ヨーロッパと比べると対照的で、例えばパリは逆に大きな道を都市計画によりつくった。セーヌ県の県知事だったオスマン男爵は、そこで軍隊の示威行為が行えるように、そして権威を示すためにつくった。住宅が先という発想ではない。

御厨　そうそう。だから街全体をそういう権力の意思の表れとして見ることができる。日本の場合は、そういう風には見ないいんだよね。部分部分でしかないし、こんなものはつくっても仕方ないだろうということで何もつくらないできたから、それでいまのような、なんだかわけの分からない都市になってしまった。ヨーロッパの軍隊の行進はすごいね。それを、みんな国の重要な構成要素だと思っているからそう出来るわけで。日本は特に戦後、自衛隊はあるものの見せない、という世界になっちゃったから余計にね。石原慎太郎さんが、とにかく銀座の大通りに戦車を走らせたいと言ったことが、一番大きかったんじゃないですかね。

——藤森照信先生の『明治の東京計画』に、エンデやベックマンあたりの話が詳しいわけですが、彼らの官庁集中計画には広場があるわけですよね。どの計画にも中心に広場がある。でも全部実現しなかった。日本に広場が存在していないのは、このタイミングで出来なかったことが大きいんじゃないかという気がしています。

御厨　それが大きいんだろうね。東京駅を中心とする、いわゆるエンデやベックマンが計画したような霞が関のあの地域に、もし大きな広場がどーんとあれば、多分ずいぶん違ったんだろうけど、やっぱり日本の場合は皇居があったからね。結局、誰にも開放されない閉じた広場である皇居が、それに取って代わったということでしょう。

——興味深いのは、地方都市にもほとんど広場がないことですね。それが不思議です。

御厨　ないんだよね。都市にそういう広場をなんとか息づかせないといけないという発想が、そもそも日本になかったんだな。江戸時代までだと、せいぜい大きいのは大名屋敷くらいだものな。だから、誰もが行けて誰もがそこでくつろげる空間という発想は、やっぱり日本にはなかったということでしょう。

——江戸にさかのぼっても、広場というものはないんでしょうか？

御厨　ないことはないね。お台場とか、いまの浜離宮とかね。ああいう水辺空間というのはないわけではなかった。いくつかあったと思うけど、それを江戸の都市計画として、何かまっとうなものとしてつくっていくという、そういう大本の発想はなかったんだろうね。

東西の分断という東京の見えない「壁」

——大きく「都市と政治」といったときに、先生が都市との関連で思い浮かべられるものは他にありますでしょうか？　今回は「広場」と「壁」ということをキーワードにしたわけですけれども。

御厨　日本の都市計画は大正期から始まるんだけど、立派な計画が出来ても現実の都市に反映されない、これが非常に大きいですよ。人がすでに住んでいるところをどかしてどうするかというと、必ずすったもんだが起きる。だから都市計画は図面上はあっても、現実はまったく違う。この状況が大正期からずっと続いていますからね。都市計画が日本でうまく出来るようになったのは、戦後のある時期からでしょう。都市計画局が力を持ち始めるのは、昭和四〇年代以降ですよね。

だからやっぱりこの国が狭かったんだな。広いものを求めようとしても、生活のほうが大事だから、結局は実現しない。

――都市計画が実現しないということでいえば、石田頼房先生が『未完の都市計画』という本を書かれていますね。

御厨　ああ、そうそう。まさに未完だと思う。だからこそ、広場は実現しないんですね。もういまから広場なんて出来ないと思うよ。かろうじて政党本部との関係でいうと、一九六〇年代に広場的なものが実現したねと。同じく一九六〇年代の終わりには、新宿西口地下広場も出来たけど、ああいうことになった。いくつかはあるけど、広場の変形みたいなもんですよね。だから広場というのは、日本人の狭い空間思想にはどうも当てはまらないんだろうね。ヨーロッパ、特にパリなんかは、あの都市計画の中心は、まさに権力イコール建築であって、何というのか、将来的に何世紀も残す、つまり自分のときには大したことがなくても、何世紀も経っても残るようなものをつくろうとしてきた。広場なり所領なりがあって、そこに森林があって、そこにさらにお屋敷を構えて、お墓まであるような、そういう領有地というのは日本にはないもの。だからそういうものをつくりようもない。

――ちなみに東京を見た時、将来的に、政治力学的もしくは地政学的に、先生が気になる場所とかはございますでしょうか?

御厨 それはやっぱりもう東京の場合は、東と西で明らかにいろいろなもの、存在そのものが異なっているということかな。西には住宅地が多くて、それなりの開かれた道も出来ているけど、東は荒川周辺とか、いざという時は水没するじゃない? あと火災が起きたらほとんど焼けちゃうじゃない? それが言われていながら、どこも手を着けないんだよね。ゼロメートル地帯どころか、マイナス何メートル地帯ということになっている。ちょっとでも水が来たら洪水になるし、火がついたらみんな焼けますよ。そういう状況なのに、みんな住み続けている。だから東京の東をどう変えていくのかということは、僕は残された結構大きな課題だと思いますよ。われわれが見ている二三区のなかでも、中央のビルがいっぱい建っているところとか、西側の住宅地とか、これは一応都市としての体裁を整えていると思うけど、東側の方は、どうするのかというくらい、ほうっておかれているからね。

鈴木俊一さんが東京の改造をやったときだって、結局、都庁を新宿に持ってきて、私がいた都立大も南大沢に追放された。全部いいものは西に置いたんです。東に置いたのは、唯一、江戸東京博物館くらいだからね。つまり、あの鈴木さんをもってしても、東京は西に発展するものだとされた。あの人は「都市は西に発展する」といった。東はおいていかれるのだから、まあ博物館くらいでいいだろうという発想で、江戸東京博物館がつくられた。だから東京はひとつというけれども、実は西と東は、生存空間としての意味で、まったく違うからね。今後もし、東京直下の大地震が来たときには、東京はそこで真っ二つに割れるんじゃないかと思うんだよね。これに対する対策は、ようやく始められたというが、遅きに失したのではないか。それがものすごく気になるよね。

——東京の東西の見えない「壁」ということですね。例えばオランダだと、国を挙げて治水に力を入れているわけですよね。

御厨　やってますでしょ。東京もそれをやらないと。僕はそれが国の生き残りに関わると思っているんだけどね。まあみんなあんまり騒がないようにしているからね。すごく心配だよ。都市としては。

建築家と政治家の距離

——今回、先生の本もあらためて読ませて頂いたのですが、例えば『建築と権力のダイナミズム』では、五十嵐太郎さんが「政治家と建築家」という論考を、まさに「権力と都市空間」と題された部で書かれています。丹下健三や黒川紀章など、権力に近い立場にいた建築家がどのようなことをやっていたか、また私は金沢の出身なんですが、片岡安という辰野金吾と一緒に事務所をやっていて、後に金沢市長にもなった建築家についてなどが、触れられています。五十嵐さんが、都知事に立候補した黒川さんの行っていた行為自体には意義があるとして、見直すという視点も面白いと思いました。一般的に、都市と政治あるいは建築と政治は、非常に距離が離れていると思われており、特に建築家は誰も政治について語らないいんですよね。

御厨　語らない。本当にそう。だけど、そんなことはないいんだよ。やっぱり建築家と政治家というのは非常に近い。丹下健三と鈴木俊一の関係というのは、間違いなくもう通常は考えられないくらいの、悪い言葉で言うと癒着、いい言葉で言うと協働関係にあった。建築家と政治家というのは、こうしてどこかで結びつく。黒川紀章の東京都知事選出馬は、石原慎太郎が黒川じゃなくて安藤忠雄を使おうとしたので、パトロンがいなくなるんだったら自分がパトロン兼政治家になろうということで、立候補したんだよね。あの奇妙な車に乗って。僕も彼の論文を読んで思ったけど、建築に携わった人間からすると、黒川さんの行動は突飛な発想ではないよね。だってパトロンがいなくなったんだったら、おいらがパトロンもやるんだということ。要するに、都知事黒川が建築家黒川に、東京の都市計画を依頼するみたいなね。そういう発想でしょ。だから結局、志半ばにしてなくなっちゃうわけだけど、まあ不思議な人ですよね。

―― 本当に。世界を見ても、ヒトラーは自分が建築家になれなかったから、シュペーアに任せるわけですし、建築家と政治家に同時になった人はほぼいない。

御厨 いないね。だから黒川さんの場合は、その点ではその延長線上にいたということが分かるわな。もう出てこないでしょ、ああいう人は。みんなもっとお利口になっているし。隈研吾がそういうことをやりそうにもないしね（笑）。

未来の皇居前広場の使い方

―― 最後に、日本の唯一の広場かもしれない皇居前広場について、お伺いさせて頂ければ幸いです。皇居前広場は、今後はどういう使われ方をすべきなんでしょうか？　そういえば、磯崎新さんは、二〇二〇年の東京オリンピックの開会式を、あそこでやるべきだと提案されていました。

御厨　あそこはだから、本当はね、もっと開放すべきなんですよ。皇居の開放というのはとてもできないけれども、皇居前広場くらいは、僕は最終的には東京都民あるいは日本国民に開放すべきだと思いますよ。それまで京都にいた天皇は明治になってはじめて東京に来たわけだけど、その明治以降、近代の日本というのはずっとあの皇居を見続けてきたわけだから。やっぱり皇居前広場を象徴的な広場にして、あれだけ何も置いていないというのはね。僕は少なくとも、もうちょっと工夫してしかるべきだと思うね。

——　何かを置く?

御厨　何かを置いたり、あるいは何かイベントが出来るようにしたり。恒久的なイベントが無理だったら、その時はそこにテントを張ってもいい。そういうかたちにしてもいいから、一年に一度、数年に一度、そこで国民が何か出来るイベントでもやるようにすればいい。これは国としてひとつの意思表示をすることになるから、いいと思うんですけどね。まあ、テロを招く危険性という観点で、絶対無理だと思うけれども。やっぱり国民への開放ということはあってもいいんじゃないの?　いまの上皇自身が象徴としてのつとめで、全国を回って、被災地を回って、国民と同じ目線でお祈りをしてきたわけでしょ。そしたらお祈りをして戻ってきた東京で、千鳥ヶ淵の戦没者墓苑はあるけど、もうちょっと日本国民が今の日本はこんななのかと空間構成を通じて分かる、そういう宗教的な色合いのないイベントみたいなものをやるというのはあるんじゃないかな。

——　いまはタブーみたいになっているわけですよね。

御厨　そうそう。僕も毎回通ってそう思うけど、皇居前広場は「開かれているけれども、開かれているっていうのがあるんじゃないかな。

——ある意味、そういう広場は世界を見てもどこにもないわけですよね。

御厨 ないね。あそこにしかないんだから。だからそこを国民の躍動感あふれる場所にするためには、世界からイベント募集をしてもいい。そういうことをやってみればいい。

——一方で、世界の広場と同じようにして、逆にありふれた場所にするよりも、あの場所の特殊性みたいなものを考える必要もあるわけですよね。

御厨 うん。あればそれを活用するというのも、ひとつの手だと思う。だからものすごく日本固有の広場という風に出していくことが一方であり、それから世界に共通して通用する広場という風にするというやり方もある。そこはもう、大コンペをやるんだね（笑）。広場大コンペ。

——面白いですね。

御厨 それで磯崎さんが勝たないようにしないと（笑）。思いつきはすごく面白いと思うけど、これは出来ませんよと。

——まあそういう、固有性と共通性との両者が必要になってくるわけですね。

御厨 そう。両方が必要だよね。と思うんだがな。

——はい。本当にありがとうございました。実に刺激的で、貴重なお話でした。

岸信介の椅子

初出：『東川町　椅子　コレクション3』
（写真文化首都「写真の町」東川町発行／かまくら春秋社発売、二〇一八年五月）

今は亡き岸信介元首相の館が、まるごと静岡県御殿場市東山に残されている。岸信介はあの一九六〇年の安保騒動で辞任して後、十年程経った一九六九年、この地に文字通りの権力の館を建てた。戦前の元老西園寺公望の静岡県興津町にあった「坐漁荘」も、戦後、建築家吉田五十八が改築、増築を担当したワンマン宰相吉田茂の神奈川県大磯町にあった「大磯御殿」も、いずれもが政界第一線を退いた「隠居ぐらし」の館に他ならなかった。たとえ、そこに時と場合によっては政治の気が生ずることがあったとしてもだ。

しかし岸の館は、その点がまったく異なる。岸は心秘かに首相復帰への情念をたぎらせ、明らかに現役政治家の館としての建築を、かの吉田五十八に依頼したのだった。吉田もまた岸の権力動機を充分に生かす設計に心をくだいた。彼はこうずばり語っている。「政治家の住まいというものには、私宅でありながら、いつ公的要素が、突如として、はいり込んできて、公的な家に早変わりするか、わからないという性格をもっているものである」

こうして岸の館は、「公的使用を主とする接客部門」を右手に、「私的な住居部分」を真ん中に、「サービス部門」を左手に拵え、三部門が明確に分かれるとともに、いざという時には壁をとり払い、三部門が連続してダイナミックな使用にたえる造りとなった。すなわち「接客部門」は、茶室のある日本間を奥に、機能的に動ける洋間を手前に置き、ガラス戸をすべて開くと庭と一体化する。一階の食堂からも二階の寝室からも、箱根の山に連なる眺望は決して悪くはない。

人は誰しも自らの館の中に、好みの場所がいつのまにやら出来るものだ。吉田茂は温室、同じく元首相の鳩山一郎は庭に面した応接室であった。では岸信介はどこがお気に入りの場であったのだろうか。「接客部門」のテラスから庭が見える洋間であった。そこに岸自身が欲したと思われるソファが一脚おかれた。岸のために吉田五十八が見立てた、スイス製の革張りのソファがそれだ。この大ぶりのソファに、岸は足を投げ出して腰かけ、本を読んだり考えごとをした。吉田茂は一人きりになり時に富士山を眺めた。鳩山は一族郎党に囲まれ時に賛美歌を歌った。果たして岸はどうであったか。海をのぞむ開放空間ではなく、山に囲まれた閉鎖空間の中だからこそ、首相復帰と憲法改正を期して激しくたぎる岸の思いは、見果てぬ夢として昇華されたのであろう。

岸の晩年を象徴する権力の椅子は、今もなお岸のオーラを放っている。私は二〇一三年にこの岸の館で「いま、岸信介を読み解く」と題する特別講演会を三回行った。その際、岸の権力の椅子は常に私の講演を見定めようとしているかのように、時折私は岸の権力の椅子からの声なき声を聞いた。権力の主は姿を消して久しいが、権力の椅子は今も参観する人々に、岸の終生消えることのなかった権力意志を伝えんとしている。

『時事放談』でふれた「生の政治」

初出：ウェブサイト「文春オンライン」二〇一八年九月二三日
(https://bunshun.jp/articles/-/8967)

「時めいている」政治家、そうじゃない政治家を観察できた

――『時事放談』の司会は約一一年半続けてこられたことになるんですね。

御厨　そうですね。僕が司会を務めたのは五八〇回。一回につき二人のゲストを招いていますから、ざっと延べ一〇〇〇人以上の方々をお相手にしてきました。

――政治学者が政治家に会い、生の政治にふれる機会はなかなかないのでは。

御厨　勉強会に呼ばれて参加するとか、政府の諮問会議に招集されるとか、機会がないことはないですが、多くあるものじゃないですね。僕の場合も司会を打診された当時は政治史研究、特に明治期の政治を専門にしていましたから、この番組は現在の政治、生の政治家にふれる貴重な時間になりました。

――新刊の『平成風雲録』でも『時事放談』での思い出を書かれていますが、この番組で「生の政治」にふれて一番面白かったことは何ですか。

御厨　政治家の「変容」を定点観測できるのが面白かったですね。特にね、政治の世界というのは現役であっても、引退後であっても「時めいている時期」とそうでない時期があるものなんです。すると、時めいて周囲の注目を集めている政治家がどういう仕草をし、そうでない政治家はどんな振る舞いをするか、立場が変わるとどう人間が変わるものか、政治家という人間をじっくり観察できるんですよ。

すごかったのは収録前のメイクルーム

――印象的だったことは、たとえば……。

御厨　すごかったのは収録前のメイクルーム。政治家同士の戦いというのはここから始まっているんだね。人気政治家の周りには自然と人が集まる。すると、もう一人の方はだんだん表情が険しくなってくる。僕なんか「まずいぞ、爆発するぞ」なんて見入っちゃうんだけど、ある政治家はすごかった。ついに不機嫌が極まって「あんた、最初に出た選挙で、誰が最初に応援演説したか覚えてるか」ってギロッと睨んだ。「ハッ、○○先生でございます!」って、時の政治家も直立不動になっちゃって。かつて鷹揚に構えていた大物政治家も、立場が変わるとこうやってストレートに怨念を表にして発するものなんだなって思いましたよ。

野中広務「席の譲り合い」にかける執念

――立場が「変容する」と言えば、御厨さんが司会を務めている期間には自民党から民主党への「政権交代」がありました。

御厨　『時事放談』は「テレビ元老」と呼ぶべきベテラン政治家と、現役バリバリの政治家を組み合わせてゲストに呼ぶことが多かったんですが、民主党には藤井裕久さん、渡部恒三さんといったあたりしか元老クラスはいなかった。それで若手・中堅クラスの議員に声をかけることが多くなったんですが、立ち居振る舞いがやっぱり自民党保守系の人たちと全然違うんです。

――何が一番違いましたか。

御厨　スタジオへの入り方です。当時の民主党議員には相手が誰であろうと、スタスタと一人で先に入っちゃう人が結構いました。これは、人によっては「何だあいつは」という反感を招きかねない。

――礼儀がなっていないと。

御厨　そう。政治家同士の関係なんて、裏で舌出しながらもお互いのメンツを立て合う世界です。だから席の譲り合いっていうのが収録前の政治セレモニーであり、一つのバトルなんですよ（笑）。それを民主党議員はわかっていなかったね。その点、野中広務さんの「席の譲り合い」にかける執念はすさまじかった。まず絶対に下座を取るんです。野中さんは誰が相手でも「長老クラス」でしたから、下座を取られた方はそこで完全に恐縮しなきゃならない。収録前から相手を萎縮させる。ある種のマウンティングで、これは見ていてすごかった。

野中広務より先に「下座」に座っていた男

――いわゆる一つの野中イズムですね。

御厨　「今日の主役はあなたや。俺は拳拳服膺《けんけんふくよう》、お話を聞いとるわ」って言いながら下座に座って、上座を勧める。野中さんに聞いたことがあるんです。「いつもこうなんですか」って。そうしたら「一対一で会うときは、三〇分前には到着するようにして、下座に正座して待っとるんや」って、こう言うわけですよ。

――ははあ。

御厨　ところが「俺よりもっと早く着いて、俺を待っとったやつがおった。それには負けたわ」って言うんですね。誰ですかって聞いたら「小沢一郎や」って（笑）。

――よりによって野中さんとは因縁の……。

御厨　一時間前に来て座ってたらしいですよ。まあ、とかく政治家の世界は生々しい。こういう文化も、自民党の派閥政治が生んだ振る舞いの一つだと思います。政治家として生き残るには先輩後輩関係が基本ですからね。言ってしまえば「行儀」。それが保守政治を支えてきた一つのあり方にもつながると思いますよ。

最近は政治現象を「解説」する政治家が増えてしまった

――ということは、現在の自民党若手にはなかなか、そういった振る舞いは見られなくなりましたかね。

御厨 まあ、何というかみなさん合理的です。以前びっくりしたのはメイクルームで簡単な打ち合わせをしている時に、ある若い政治家が手帳を出しながら「この番組はたしか日曜日の朝ですよね？ということは、土曜の朝に生放送に出るから、この話はそこに取っといて……」って言うんですよ。オイオイ、その話できるんだったら、こっちでやってくれよって（笑）。

――政治家が話の出し惜しみですか。

御厨 一昔前の政治家なら嘘でも「『時事放談』が好きだから、この話もしちゃおう」くらいのお世辞は言ったと思いますけどねえ。それから若手政治家に感じるのは政治を語る「語り口」の変化。最近は政治現象を「解説」するタイプの人が増えました。「説明と解説は司会の僕がやるんだから」って、思ったこともずいぶんありましたね（笑）。

――解説だと、なかなか「放談」にはなりませんね。

御厨 そうなんですよ。国会答弁と同じような「私は身ぎれいです」みたいな話に終始して、予定調和のまま収録が終わってしまった回もありました。本当はゲストの二人に張り詰めた緊張感があったほうが、最新の政治ニュースに対して意見がぶつかって「放談」の面白さが出てくるのに。

民主党時代から、土曜日にも政治が動いて痛し痒し

――収録は毎週金曜日の夕方なんですよね。

御厨 そうです。これもかつての政治カレンダーの名残といえば名残なんです。というのは、従来の

政治日程は金曜日に一旦動きがストップし、土曜日は基本的に政治は動かないのが慣習だった。だから、一週間のまとめという意味で金曜の夕方に収録をし、日曜朝に放送する流れができていたんです。これが変わったのが民主党政権時代。政治主導だと言って、官僚をいわば排除するように仕事をするようになったものだから、どうしても仕事が進まなくなる。すると土曜日にも仕事が溢れてくる。自然と土曜日に政治案件が動くことも出てきた。さらには国内政治が国際政治に直結し始めたこともあって、なかなか土曜日が政治的に静かだということは少なくなってきました。番組側としては痛し痒しでしたね。

――『時事放談』で独特なのが、本題に入る前のスイーツコーナーです。ゲストの政治家の地元銘菓だったり、果物をお出ししてショートトークを展開していますよね。

御厨　長年あのコーナーを司会の席から定点観測してわかったことがあるんです。ベテラン政治家ほど、食べ物に絶対に手をつけない。自分の地元の名産品であっても、お国自慢はするけど食べない。

なぜベテラン政治家は「スイーツ」を食べないのか

――何か理由があるんですか。

御厨　これは「保守のダンディズム」だと思います。つまり、自分が支配しているこの『時事放談』の時空間を、物を食べるという行為によって揺るがしてはならないというイズムです。食べると顔は歪むし、食べこぼすかもしれない。あるいは喉に詰まって咳き込む可能性だってある。政治家は人様の前では隙を見せてはならないという緊張、ポージングがあるんですよ。

――不特定多数が見ているテレビ出演だからこそ、余計にそう思うんでしょうか。

御厨 テレビが特別だと思っている世代なら、なおさらでしょうね。逆に若い政治家は全然食べることが平気で、ペロンペロン食べちゃう。おかわりした人もいたな（笑）。

――その名の通り「放談」番組だからこそ、収拾がつかなくなったことはありませんか？

御厨 たしかに、この番組はあくまで「放談」ですから、相手の話に相槌は打っても途中で遮ることはしないわけ。ただ、一人に七分を超えて喋らせ続けるのは絶対にNGというのは決まっていたんです。七分を超えると「放送事故」とみなされるレベルで、視聴者もチャンネルを変えるタイミングになるんだそうで。ところが、五分とか六分とか、危ない場面もありましたね。スタジオにいるスタッフは「巻きだ、巻きだ」って焦っているのがわかるんだけど、話が止まらない。こっちは「～なわけだよ。」と言ったところで間髪を容れず「さて、」と切り替えたいんだが、敵もさるもの「～なんだが、」ってまた話が続く（笑）。

「今日はわし、相手より二回喋るの少なかったわ」

――ひとりが一方的に喋ってしまうと、もう一人は怒りませんか。

御厨 人によっては、そりゃもう。そうなったら、一旦CMのタイミングで収録を止めた時に、僕とアシスタントのアナウンサーとで真っ先に謝りに行きます。「次のコーナーでは必ず先生に」って。ある政治家は「今日はわし、相手より二回喋るの少なかったわ。次回、返してもらうからね」って（笑）。

――さすが執念の政治家ですね（笑）。

御厨　「わかりました」ってお茶を濁してやり過ごすんだけど、こういうことがよくありましたよ。だからあの番組の司会は、細かいことを気にしていたらとても務まらない。一度、収録の後に別のラジオ番組に出たことがありますけど、まあこれが非常にラクに感じてね（笑）。とはいえ、僕にとって『時事放談』というのは、本当に貴重な「政治道場」でした。

安倍さんはテレビに向いていない

――考えてみれば御厨さんの『時事放談』放送期間の約半分が安倍政権時代です。番組には出演こそしなかったものの、御厨さんから見て安倍首相というのはテレビに向いていますか、それとも向いてませんか？

御厨　基本的にテレビ向きではないと思います。安倍さんは中身より勢いで語る人だから、自分の思っていることを一挙に吐き出すような話し方をするでしょう。上手を取らなきゃ負ける、という意識なんだと思います。安倍さんがお師匠のようにした小泉さんの当意即妙、アドリブの巧さにはかなわないでしょうね。まあ小泉さんも話に中身があるかは別だけど、近年まれに見るテレビ政治家でしたね。

――平成期の総理大臣を振り返ってみると、小泉元首相以外にテレビ向きの人っていましたか？

御厨　まあ、橋本龍太郎さんなんかは「団十郎」って呼ばれたくらい、テレビ映えのする人ではありましたが、何せ癇癪持ちですぐ怒鳴ったりしちゃう（笑）。政治家が見せる怖い顔というのは、本当に怖いので、あれはテレビで見せちゃいけません。その点、小渕恵三さんはテレビ宰相と言っていいのかもしれない。自分のことを自虐的に「冷めたピザ」って言ってみたり、「ブッチホン」が有名になったり、うまくテレビ視聴者の心をつかんでいたと思います。それに対して森喜朗さんね。あの人はなかなかちょっと難しかったでしょう。

――ちょうど小泉政権の前でしたね。

御厨　で、小泉、安倍ときて、福田さん。サラリーマン的な応対で、さてテレビ的かというとどうだったか。次の麻生さんはパフォーマンスの人なんでテレビ的といえばテレビ的でした。しかし、麻生さんは最初の選挙で有権者に向かって「下々の皆さん」って呼びかけたのが語り草になっているほど〝上から目線〟の人だからね（笑）。テレビだとちょっと危険。民主党三代の中では野田さんが一番無難だったでしょうね。鳩山さんは「宇宙人」だし、菅さんは組合活動家の激しさが「テレビ的」だったとはいえ、「イラ菅」と言われる通りすぐ激昂するからテレビに出ちゃいけないタイプだったと思いますね。

佐藤栄作「テレビカメラはどこかね」と浅利慶太の演出

――時代が遡りますが、テレビと総理大臣の関係で言うと佐藤栄作が退陣記者会見で「テレビカメラはどこかね。僕は国民と直接話がしたいんだ。新聞は帰ってください」と記者を追い出した「事件」がありましたよね。

御厨　テレビを意識したことは確か。しかし、国民と直接話したいと言ったその肝心の表情が怒りの表情だったんだから、テレビ映りとしては悪い結果になったと思いますよ（笑）。それはともかく、佐藤時代のあたりから首相というものがテレビ映りを気にし始めたことは事実でしょうね。佐藤さんの場合、先日亡くなった劇団四季の浅利慶太、彼がテレビ映りについて〝演出〟をしていた。

——浅利慶太の演出ですか。

御厨　佐藤さんに限らず、当時の政治家は露出の仕方をだんだん気にし始めていたんですね。そのあとの田中角栄に至っては、あのガラガラ声に田舎のおじさん風たたずまい。テレビ的なキャラが自然とできあがっていたからこそ、あれだけの人気宰相になれた。

中曽根康弘は、実は「テレビ」の人

——昭和の総理大臣ですと、他にもテレビ的だった人はいますか？

御厨　中曽根さんはテレビに出ても面白いことを言う人ではないから「テレビ的」ではない。しかし、テレビをうまく使った人ではありますね。あの有名な「日の出山荘」でレーガンと仲良く握手なんかしているニュース映像は今でも資料映像的によく見るでしょう。

——中曽根さんが法螺貝《ほらがい》を吹いたりして。

御厨　まさに自己演出の人。テレビ的な映像をいかに見せるかを考えていた人だと思いますね。

「テレビ天皇制」とは何か？

——ところで、御厨さんは新刊『平成風雲録』にもお書きになっているように、天皇の生前退位をめぐる「天皇の公務の負担軽減等に関する有識者会議」の座長代理を務められました。あの「生前退位のおことば」はビデオメッセージ。まさにテレビを通じて発されたものでしたよね。

御厨　まさに「テレビ天皇制」。僕は現天皇・皇后両陛下のいわゆる「平成流」のスタイルをそのように呼んでいるんですが、生前退位について国民の実に八割以上がそれを支持する結果になったのも「テレビ天皇制」だからこそと考えているんです。

――テレビ天皇制というのは、どういうことなんでしょう。

御厨　かつて政治学者の松下圭一が「大衆天皇制」と呼んだものが、平成の現在においてテレビの力をより大きく借りて展開されていると思うんです。たとえば両陛下の慰霊の旅、そして自然災害の被災地に積極的に赴いて、避難所の床に膝をついて被災者と語るあの姿勢。両陛下にとってはこれも一つの祈りの形でしょう。それが、新聞はもちろんテレビによって映像として国民に広く伝わる。これは、間違いなく天皇制と国民を近づける成果を生み出しました。

――大衆文化であるテレビが国民と天皇を強く結びつけたと。

御厨　それも親しみを持つ形で。振り返ってみれば両陛下の皇太子・皇太子妃時代におけるご成婚パレードは、日本にテレビを普及させた大イベントでしたよね。今回の「生前退位メッセージ」は、まさに両陛下が意識的・無意識的に展開してきた昭和から平成に至る「テレビ天皇制」の象徴的な出来事だと感じています。

『いいとも！』中居発言とタモリの反応をじっと見ちゃった

——さて、『平成風雲録』には『笑っていいとも！』グランドフィナーレについてのエッセイも収録されていて驚きました。御厨さん、バラエティもご覧になるんですね。

御厨 観ますよ、ぼやーっとね（笑）。『いいとも！』の最終回特番は偶然観たんですけどね、面白かった。何が面白かったって、ＳＭＡＰの中居発言ね。出演者がグランドフィナーレの名にふさわしく祝賀ムードでやっているところ、彼だけがタモリに向かって「バラエティーに終わりはない」「こんな形で終わるのは残酷だ」と一人真面目なことを言った。これを受けたタモリの表情がなんとも言えないものだったんですよ。普段だったらジョークの一つでも言って受け返す場面で、かすかに頷くような微妙な仕草をしたように見えた。

——細かいところを観てますね！

御厨 バラエティ番組を見ていて面白いと思うのは、こういう普段見せない真剣な言葉や本音を吐くとき、その表情が垣間見えるとき。コンビ芸人の場合だと、相方がその真面目な発言にふっと引いたりしている様子とかね、じっと見ちゃうんです（笑）。

なぜ『時事放談』は放談スタイルを崩さなかったのか

——そのバラエティの見方は数々の政治家、官僚のオーラルヒストリーを聞き取り、研究されてきたことにも関わっていそうな気がします。

御厨　ありますね、それは。特に表情というのは、オーラルヒストリーの作業において文字では表現できないけれど実に重要な要素です。こちらが質問したことに対しての、言葉にならない反応。それは『時事放談』で司会をしながら引き出そうとしていたものの一つでもありますね。

――表情ですか。

御厨　あの番組が語る人にとことん語らせる「放談スタイル」を崩さなかったのは、その人が何を語り、何を語らなかったかをそのまま見せようとしたから。そしてもう一つは、語っている時の表情をありのまま見せたかったからです。つまり、目は口ほどにものを言う。微妙なニュアンスはそこに宿っていることが多々あるんです。

微妙なニュアンスが、届きにくくなった

――それが司会者や討論相手が失言を誘うようにして切り込む形の「討論番組」とは違うところ。

御厨　そうです。ただね、そうした放談でこそ醸し出される「微妙なニュアンス」というものが、だんだん視聴者に伝わりにくくなってきたことは事実だと思うんです。つまりＳＮＳで言葉が切り取られて拡散していくのが主流になったこの時代では、「微妙なニュアンス」というものを伝えたり、感じたりすることがなかなか作り手・視聴者双方において難しくなってしまった。その点、現在の『時事放談』のスタイルでは、うまくそこを切り取ることが難しくなってきたというのはありますね。

――『時事放談』は幕を閉じるわけですが、これからもまた放談スタイルの政治番組は必要とされると思いますか？

御厨　こういう番組は大事だと思いますよ。ただこれからのテレビ番組はＳＮＳといった新しいメディアとうまく距離感を保ちながらやっていかなければならないでしょう。放談というのは言葉通りに言えば「言いっ放し」なわけですが、それをどう受け止めるか、どう伝えるか。かつての政治家が持っていたようなスケールの大きな政治観に基づく「放談」と、新しい世代の政治への関心のありようがマッチするような番組が生まれるといいなと思っています。

変化した〝政治家気質〟

初出：『中央公論』二〇一九年四月号
原題＝「小選挙区制、二大政党制の改革で劣化した〝政治家気質〟」

「放談」を厭わなかった長老たち

昨年秋、二〇〇七（平成一九）年から一一年半、五八〇回にわたって司会を務めた『時事放談』（TBS系）が終わった。番組自体のスタートは二〇〇四（平成一六）年、小泉純一郎政権の時代である。恐らく小泉さんの登場で何か政治の質が変わりつつあるのではないかという認識が、報道サイドにもあったのだろう。そこから、政界の長老と称される政治家や、すでに引退した元老クラスの、例えば宮澤喜一、中曽根康弘、後藤田正晴といった人たちに「自由にもの申させる」という、当初のコンセプトが生まれたのだと思う。

実際、田原総一朗さん、久米宏さん、筑紫哲也さんといったキャスターたちが、遠慮会釈なく対象に切り込んでいくという流行りのスタイルとは、一線を画すつくりの番組だった。二人のゲストが四五分間語り合う中で、面と向かってのインタビューでは見せないだろうと思われる政治家の素顔を垣間見たシーンは、枚挙にいとまがない。

ところで、私は番組のゲストの選定には一切関わらず、出演した政治家のパーティーの類も、何度呼ばれても断っていた。唯一出かけたのは、昨年初めに亡くなられた野中広務さんに、政界を引退して後援会を閉じるから、と呼ばれた会合だ。

野中さんは番組「最多出場」の政治家だった。興味深かったのは、スタジオでは対談相手が「格下」であっても、必ず下座に陣取ったことだ。相手を立てているようでいて、野中さんに上座に「座らされて」しまった人間にとって、こんなプレッシャーはないはずだ。「戦う」前から、勝負は決していたのである。

自民党の政治家は、メイクルームからスタジオ入りする時にどちらが先を歩くのか、というところにさえこだわっていた。譲り合いを繰り返した後、先輩を先に行かせるというのが彼らの作法である。面白いことに民主党の政治家に、そうした序列意識は希薄だった。いま立憲民主党の代表をしている枝野幸男さんが、自分よりもはるかにキャリアのある自民党議員を差し置いて、さっさと先に歩いていった時には、新鮮な驚きを覚えたものだ。

きっと彼らは、自分よりも若手の人間が前を行っても、気にしないのだろう。そういう政党の文化の違いを実感できたのも、長くあの番組に関わったからこそである。

ただし、時を経るうちに政治家に物足りなさを覚えるようになったのは寂しかった。世間からさまざま批判もされた政界の長老たちだったが、その言葉には幾多の修羅場をくぐり抜けてきたからこその厚み、深み、えもいわれぬ味わいがあった。

そんな政治の玄人、強者は、一人、二人と姿を消した。代わって登場するようになった売り出し中の中堅や若手の政治家たちは、確かに正論を語る。だが、自らの政策宣伝に一生懸命の印象で、天下国家を論じるような気概はあまり感じられなかった。政治家気質はかくも変わってしまったのである。一歩引いたところから政治を語り合うような味のある「取り組み」が消えていくのに、行司が出張っていても詮無いことだ。平成の終わりに合わせるようにあの番組が幕を閉じたのは、必然だったのだろう。

小選挙区制でやせ細った政治

平成の政治を総括するうえで、政治改革、具体的には一九九六（平成八）年に導入された小選挙区制と、その結果として展望されていた二大政党制の成否が語られなくてはならないことは、論を俟たない。残念ながらそれらは失敗に帰した。少なくとも平成の時代に、そのシステムを期待通りに機能させることは叶わなかった。

多くの人間が、熱に浮かされたように「政権交代ありきの政治体制の構築が必要だ」と語っていた時代に、その一人であった政治史学者として、真摯に反省しなければならない。第二次安倍政権になって以降の、何度ゲームをしてもオセロの一色が大半を占めて動かないような、中選挙区制時代以上に政治が固定化された状況というのは、正直想像できなかった。

こうなった原因の一つは、我々がヨーロッパモデル、アメリカモデルの「夢」を見過ぎたところにあった。欧米社会は階層が明確で、二大政党にはそれぞれ強固な支持層がある。だからこそ、オバマからトランプへの大転換のような政権交代が起きるのである。戦後の自民党長期政権の歪みを正すべしという思いのあまり、結果的に日本社会がそれとは異なるという思考を欠いたことが、残念でならない。

思えば『時事放談』の常連だった長老たちは、こぞってこの政治改革に否定的であった。他方、推進の側のキーマンだった小沢一郎さんのような人も、影響力を低下させている。今の政治状況は、文字通りそんな「兵《つわもの》ども」が夢の跡である。

さきほど政治の世界に玄人がいなくなったという話をした。これも小選挙区制の副作用であることは、間違いない。当選するためには高い得票率が必要な一人区では、政策は万人受けする総花的なものになりがちだ。実績のある長老でも、その時々の「風」や相手の「刺客」戦術によって、落選の憂き目をみる。

中選挙区で、同じ政党でも違う派閥の候補者同士が当選順位を競い、派閥に帰れば熾烈な出世争いを繰り広げるようなダイナミズムは、すっかり失せてしまった。小選挙区制を導入した平成の政治が、以前に比べ目に見えてやせ細ったことは、否定しようがない事実である。

敗れて「回顧録」の異様さ

歴史的な政権交代が実現したことも、あるにはあった。二〇〇九(平成二一)年総選挙で一気に三〇〇議席超を獲得し、自民党を下野させた民主党はしかし、わずか三年後には返り討ちにあって、政権の座を追われてしまう。曲がりなりにも二大政党政治の一翼を担った民主党がもう少し頑張ってくれたら、状況は違ったかもしれない。

私は分岐点が二つあったように感じている。一つは、政権の座が間近という時期に公設秘書が逮捕され、当時民主党代表だった小沢一郎さんが、辞任に追い込まれたことだ。もしあの時検察が動かず、小沢さんが総理になっていたら、あれほど酷くはならなかったように思うのだ。

もう一つ、民主党が再び政権を奪われた時に、きちんとした反省、総括ができなかったのは致命的だった。安倍政権に引き継がれている福祉政策をはじめ、民主党政権には評価できる点がいくつもあったはずだ。それらを含めて、党全体で総括できていれば、党組織が瓦解して四分五裂というような事態にはならなかったのではないだろうか。

しかし、現実に彼らがやったことは、全体の議論ではなく個々人の「回顧録」作りだった。あえて名は秘すが、大幹部の一人は、私にオーラル・ヒストリーの作成を何度も依頼してきさえした。要するに、「自分は本当はこうしたかったのに、党がだめだった」という自己弁護である。政権が崩壊した直後に次々に関係者の回顧録が出てくる異様さは、民主党の弱さを象徴する光景でもあった。

平成とともに「戦後」が消える

平成の終幕を控え、メディアでは「三〇年を振り返る」という類の特集が目白押しである。そのほとんどが「けっこう面白い時代だったよね」というトーンで彩られている。そのことに、私は強い違和感を禁じ得ない。

考えてもみてもらいたい。すでに述べたように、日本の政治に新たな時代を開くはずだった政治改革は、ものの見事に失敗した。リーマンショック以降、日本経済は本当に立ち直ったのか。国際関係も、お世辞にもうまくいっているとは言い難い。阪神・淡路大震災、東日本大震災に象徴されるように、甚大な被害をもたらした自然災害が相次いだ時代でもあった。客観的にみて、「内平らかに外成る」どころの時代ではなかったことが明らかだろう。

にもかかわらず、まるでご祝儀相場のような「平成騒ぎ」の中、消えゆくものがある。「戦後」の二文字である。

これまでの日本では、「戦後何年」という区切りで、第二次大戦について語られてきた。戦後五〇年の一九九五（平成七）年には、時の村山富市首相がいわゆる「村山談話」を出す。半世紀たっても、日本はまだ戦争を色濃く引きずっていた。戦後七〇年には、安倍首相が村山談話を踏襲する内容の談話を発表するのだが、本人の政治的な立ち位置もあって、逆に「戦争の危機」が意識されもした。

この時私は、「戦後八〇年には、戦争の証人はほぼいなくなる。今のうちにできるだけ証言を集めるべきだ」という話をずいぶんしたものだ。のちのち「戦後」が死語になるかもしれないなどとは、露ほども思わずにである。

決定的だったのが、昨年一二月、「平成最後の天皇誕生日」の記者会見での「平成が戦争のない時代として終わろうとしていることに、心から安堵しています」という陛下のご発言だ。確かに、「戦争がなかった」という意味で、平成は平和な時代だった。先の戦争は、昭和の話だったのだから。

陛下の真意がどこにあったにせよ、国民の中にそうピリオドが打たれたことで、「戦後」という言葉は死んだ。まさに「元号の政治学」で、改元はただ表面的に元号が変わるにとどまらず、かくのごとく歴史の見方や社会そのものにも深く影響を与えるのである。

ところで、平成は明治以来初の天皇の退位で終わる。ルールになかった退位が、八割を超える国民の支持によって実行されるのだ。「天皇の公務の負担軽減等に関する有識者会議」の座長代理として、そういう時代の「終わらせ方」に一役買った私ではあるが、本当にこれでよかったのかという思いは残る。

余談ながら、天皇を退位した上皇が完全に「リタイア」するとは、私には思えない。皇嗣となる秋篠宮も国民の人気は高い。となれば、皇室に上皇、天皇、皇嗣の三人のスターが並ぶという、これまた異例の状況になる。それが新しい時代にどんな作用をもたらすのか、今は想像することができない。

論じるのが空しい「置物国会」

改革の夢破れた平成の政治は、歴代最長の在職日数も視野に入った安倍晋三首相の下で終わる。安倍政治については、ずいぶん批判もしてきたのだが、最近はそれをする意味さえ失われてしまったような感覚にとらわれている。「言いようがない」というのに優る表現はない。これも、長い研究者生活の中で例のなかったことだ。

本来議会は、丁々発止の論戦の場である。ところが、そこでの安倍さんの対応は一貫している。モリカケ問題にみられたように、事が起こると、とりあえず相手に言いたいだけ言わせる。そのうえで、謝る姿勢を見せながら、主要な論点そっちのけで勝手に問題を片づけていくと言ったらいいだろうか。

結局トカゲの尻尾切りはするものの、本丸の責任は取らないし取らせない。

政治は、黙っていてもダイナミックに動く。それが長年見てきた永田町の世界だった。しかし、平成最後になって静態が常となってしまった。まるで国会全体が「置物」になったように、動かないのだ。この状況を何らかの言葉で説明せよ、安倍政権論を書けと言われても、困惑するばかりなのだ。

あえて言えば、今の安倍政権の政治目標は、アベノミクスの完遂でも憲法改正でもなく、「選挙に勝つこと」にあるのではないだろうか。二〇一二（平成二四）年の衆院選に勝って政権に復帰した当時、自民党内には「また負けることのないよう、国会運営には万全を尽くそう」といった空気が、確かにあった。しかし、その後、参院選、二度の衆院選、かつ自身の自民党総裁選に連戦連勝する過程で、とにかく政権を渡さないことが自己目的化していったのである。

勝てばいいのだから、政策、争点は二の次。「勝てる時に解散して、総選挙に打って出る」という手段の方が優先される。一四年暮れの総選挙など、何ら必要性がなかったにもかかわらず、「消費税の引き上げ延期の是非を問う」と訴えて、公明党と合わせて衆院の三分の二の議席を確保するという大勝を収めてしまった。

与党の議席優位が常となった結果、政治も行政もすっかり「事務化」した。与党内では、論争は不要。とにかく〝一強安倍〟につき従っていれば、自分の身は安泰だ。官僚たちも、かつてのように与党相手に面倒なことをせずとも、官邸を通しさえすればOKということになったから、どんどんそちらになびいていく。これでは、政治のダイナミズムなど望むべくもない。

もちろん、こんな静態を生んだ原因は、ふがいない野党にもある。国会の委員会審議で「○○新聞の報道によれば……」などという質問をして憚らないのは、いかがなものか。既報の事柄ならば、守る側はいくらでも事前準備が可能だろう。昔は、追及のネタがそれこそすっぱ抜かれたりしないように隠して、審議の場で大臣にバンとぶつけるような迫真の攻防が珍しくなかったのだが。

かくて「政治の安定」は続く。しかし、その下で代償を払わされているのは、野党の政治家だけではない。ほかならぬ自民党の政治家が、その武器であるはずの言葉、「語る自由」を失っているような気が、私にはするのだ。

例えば、かつて『時事放談』に招かれた政治家たちは、「ところで、衆議院の解散はあるんですか?」と聞けば、好き勝手に持論を展開したものだ。ところが、菅義偉官房長官に同じ質問をしたら、返ってきたのは「総理がお決めになることで、我々の与り知らないことです」という木で鼻をくくったような答えだった。他の自民党議員たちも、判で押したように同じ対応をする。本当のところを明かせないにしても、なぜそこまで総理の解散権を神格化するのか、私には理解できなかった。

自民党内がこんな雰囲気になってしまったのは、第二次安倍政権がスタートしてからのことである。内にも外にも、安倍さんには敵がいなくなった。敵がいない政権ほど怖いものはない。

政党政治は生き残れるのか

ただしそれは、多数を頼みに何かをやる、例えば改憲を断行するといった怖さでは、今のところない。むしろ我々に迫ってくるのは、いったいこの先日本の政治はどうなっていくのかということが、全く見えない恐ろしさである。

さきほど指摘した「事務代行」のごとき政治を批判しようと思えば、いくらでもできるだろう。だが、いくらそれをやっても「では、今後にどんな展望があるのか？」と問われると、途端に答えに窮してしまう。「政権論」が書きにくい言い訳は、そこにもある。

先が見えない理由の一つには、ポスト安倍の不在がある。従来の自民党には、必ず総理総裁の後継者と目される人物が複数いた。彼らがだんだんボスを脅かす存在に成長し、ついにはそのポストを手にするという歴史を繰り返してきた。それは、次の指導者を育てる仕組みとして機能もしたのだ。だが、今の政権下の自民党に限っては、その図式が当てはまらない。

現状を招いた責任の多くが安倍さんにあることは明らかだ。かつて本格政権を率いた政治家は、自身を小泉さんが抜擢したように、これはと思う人間を党や内閣の要職に就けて鍛えていた。だが、安倍さんにそうした意図は見えない。むしろ一強体制を維持すべく、自分を脅かす政治家を遠ざけているかのようだ。その典型が小泉進次郎さんではないか。

余談になるが、私は一度だけ小泉進次郎さんと「遭遇」したことがある。仕事で行った自民党本部の外で車を待っていたら、たまたま私を見つけた彼が、「御厨先生！」とかなりの距離を駆け寄ってきたのだ。一面識もないのにすごいなと思っていたら、「先生の著作の中でも、最近読んだこれこれが気に入っています」と言う。しかも、著作の内容をしっかり把握していたのには驚いた。こんな政治家は、そういない。

だから小泉さんを推すというのでは全くない。ただ、彼を引き上げて育成する、思い切ってポスト安倍に祭り上げる、くらいのことをやらなかったら、自民党の今の閉塞状況を打開することは難しいのではないかという気もするのだ。

繰り返しになるが、先の見えないまま平成の政治は終わる。政党政治の危機的状況と時代の終わりが重なるというのは、私には不気味でならない。

次の時代のどこかで野党が蘇り、与党を脅かすような緊張関係を取り戻すことができるのか。それとも営々と築き上げてきた政党政治が終わりを告げて、何か新しい形につくり替えられているのか。実はかなり重要な岐路にいるというのが、長く政治を見つめてきた人間の見立てである。

一〇年以上テレビというメディアに関わって、そのすごさと限界のようなものを感じた。まずはそれらをきちんと総括したいという思いもあって、当面はテレビから離れることにした。基本的には活字の世界に戻り、本業である政治史をじっくり振り返る作業から始めている。そこから「安倍政権論」につながる何かを発見できたらいいのだが。

「災後」七年

初出：『事例に学ぶ生活復興――災後・災前にすぐに役立つ〈生活復興〉読本』（公益財団法人ひょうご震災記念21世紀研究機構発行、二〇一八年三月）

「災後」七年。あの東日本大震災の発災から今日まで、復旧・復興のプロセスに様々の形で関わってきた。毎年思うのは、「復興未だならず」というあきらめにも似た気もちだった。しかし「〈災後〉未だならず」とは決して思わない。なぜか。確かにあの震災から二〜三年たった時点では「〈災後〉未だ来らず」の思いが強かった。復興の営みは、さいの河原の石積みにも例えられるべく、遅々として進まなかったからだ。

だが、近年「災後」をとりまく外部的環境が明らかに変わった。二年前の「熊本地震」の勃発で、平成年間は、まちがいなく、「阪神・淡路」「中越」「東日本」そして「熊本」の四大震災の連鎖の文脈で語られるようになった。「災後」は東日本大震災に固有のものではない。四大震災と捉えた時、各々の「災後」がはっきりと見え、それは比較できると共に、実は競い合うことさえあるのだと気づく。

しかも、それに「東海」のみならず、「首都直下」「南海トラフ」という、これまでの規模をはるかに超えた大型地震が明日にでも勃発という悪夢への真正面からの対応が、この数年で現実のものとなった。もはや「災後」ではない。「災前」の時代の幕が切って落とされようとしているのだ。しかも今上陛下は、「災後」の時代に増えた自然災害に遭遇した国民と共に歩み、話しかけ、祈りをささげる行為こそが、象徴としての務めだと明快に国民に語りかけ、高齢により その充分な働きが出来なくなったことを、大きな理由の一つとしてあげ、「退位」の意思を表明された。つまり、「災後」への祈りに満ちた平成の三〇年に、ピリオドを打たれる行為をあえてなさったのだ。これまた「退位」への道筋に寄りそった者として感ずることがままある。「災前」の時代は新天皇の手に委ねられるということか。

象徴天皇としてのお務めの意味

初出：『文藝春秋』二〇一九年五月号

両陛下には何度かお会いしました。初めてじっくりお話ししたのは、皇居に招かれた、私の師匠の先生に〝お小姓〟のように付いていった時のことです。お食事も共にし、いろんなお話をしました。

その時、強く感じたのは、お二人とも歴史に造詣が深いということ。それとお立場上、いろいろ制約もあるはずなのに、意外なほどフランクにお話しいただいたことです。こちらの率直な意見も引き出してくださって、気品と風格をお持ちの両陛下に親しみやすさも感じました。

最後にお会いしたのは、東日本大震災復興構想会議に関わった時のことです。議長代理として、議長の五百旗頭真さんと共にご説明に上がると、復興がどうなっているのか、今後どうなるのか、具体的なところまで強く関心をお持ちでした。

その時、圧倒されたのは、平成に起きた自然災害について、両陛下が驚くほどお詳しいことでした。具体的な話になるとすぐに「あの時の震災のあそこと同じかしら？」と、こちらが存じ上げないようなお話にもなる。

両陛下は、被災地を継続的に、ご自身の目と耳でご覧になってきました。すでに起きたことだけでなく防災にも関心をお持ちで、さまざまな対策を現地でご視察されている。だから担当が入れ替わる役人よりも、よほど詳しいのです。

このことに気づいた時、「ああ、象徴天皇としてのお務めの意味は、こういうところにあるのだ」と思いました。国情を長きにわたってつぶさにご覧になり、とくに被災地の国民に寄り添って、同じ目線で一緒に語り、亡き魂をお祈りする。そうやって日本という国を見守り続ける。

象徴天皇としてのあり方を振り返ってみると、両陛下は〝ご夫妻〟という印象が強い。皇后がしゃしゃり出られている、ということでは決してなく、〝両陛下お揃い〟で、一つの形を成している。それがまたお二人らしいお姿であり、「平成」という時代の姿だったように思います。

梯《かけはし》久美子さんと語る二〇一九年「継承」の年

初出：『山形新聞』二〇一八年一二月二九日（共同通信配信記事）

——近代日本における「継承」をどう考えるか。

御厨　まず昭和天皇を挙げたい。大日本帝国憲法下で統治権の総攬《そうらん》者であり、途中から日本国憲法で象徴となった。つまり「一身にして二生」を受け継いで生きた。これは大変なこと。今の陛下は初めからの「象徴天皇」。美智子皇后と一緒に平成の三〇年間をつくり上げ、そして区切った。

梯久美子　すごい決断です。

御厨　陛下の「高齢化」という言葉で、みんながピンときた。陛下はずっとそのままいてくださるものと思い、天皇の高齢化問題を考えていなかった。即位メッセージは能動的な天皇の行為で、国民は圧倒的に賛成した。上皇陛下、秋篠宮の皇嗣殿下と三代の存在が見え、兄から弟への「継承」もはっきりしてきた。

国民の記憶内包

梯　平成の皇室は、弱者に心を寄せ、災害や戦争の傷を癒やす役割を自覚されていた。ペリリュー島に足を運んで犠牲者を追悼、忘れられた歴史を思い出させた。「想起」の働きです。両陛下は慰霊碑前で、さらに海に向かっても拝礼された。その先にアンガウル島がある。小さい島だが、多くの戦死者が出た。皇室は国民の記憶を内包し続ける存在と言えます。

――人以外の事例は。

御厨　国会議事堂。一九三六年、二・二六事件の年にできた。大日本帝国は、植民地からも材料を持ってきて造った。それが今も使われている。

梯　建物が生き証人のように残っているのがいい。歴史を学べば、一言で言えない複雑なことがあると分かる。二〇一八年は北海道命名一五〇年目。一〇〇年の時は開拓百年と言った。苦肉の策の言い換えではあるが、平成に少数民族への配慮が出てきて、二〇二〇年には白老町に「国立アイヌ民族博物館」ができる。元々いた人を駆逐した歴史の上に成立しているが、一方で苦労して開拓した歴史もあります。

御厨　大事な点です。

梯　複雑さを具体的に知ることが大事なのに、平成後半からはこれを簡単に切る流れがある。単純化は「継承」にならない。複雑さに耐えるには知性、教養が必要。

御厨　今は、うそか本当か、面白いかどうか。これまでの歴史感覚は「歴史は大事だから、きちんと伝えないといけない」だった。だからはっきりしないものは、あいまいなままで議論していた。それが今は「本当の歴史はこれだ」。クイズ番組とぴったり合うように歴史が「消費」される。

梯　歴史を記述するとき、根拠となる一次資料を示さなければ、後世の人の評価や批判に耐えることができない。研究が更新されるのは当たり前。歴史は集合知です。

御厨　オーラルヒストリーの分野もそう。語られたことが本当かどうか検証するために、どんどん公表した方がいい。

検証耐える記録

――公文書問題は。

梯　ずさんな取り扱いは政治家や人の上に立つ人に、自分が歴史を生きているという感覚がないからでしょう。大きな決断にかかわった人、歴史の節目で動いた人は、それを残す責任がある。

御厨　公文書を大事にしなくなったのは敗戦から。戦犯として訴追されるのを恐れて戦時に関するものは全て焼け、と。歴代首相で福田赳夫、宮沢喜一両氏だけが、私に公文書を焼いた記憶を語った。「日本はあの時に歴史を放棄した」。福田さんはそう言った。占領期は日本語で書かれた記録をなるべく残さなかった。「負の継承」です。高度経済成長期は、過去はどうでもよく、新しいことが大事だった。

梯　後世の検証に耐える記録がないのは歴史を持たないのと同じです。

御厨　公文書館で驚いたのは沖縄県。本土とは違って多くの人が訪れる。沖縄は実戦の場所で、土地に関する記憶が爆撃で途切れた。私が公文書館に行ったとき、おばあさんが「住んでいた場所を確かめて死にたい」と話していた。すると、人が集まって文書を調べる。沖縄を壊滅させた当時の航空写真も米国で収集し、それが役に立って歴史が生き生きしてくる。

梯　個人史と、大きな歴史が重なっているのが実感されるからですね。

——記憶の継承は。

御厨　戦後七〇年のころ、優れたドキュメンタリー映像が出てきた。子や孫に話をしなかった人が「今、言わなければ真実が残らない」と。「こんなことがあった」と語る迫力がすごかった。

梯　今後、証言者がさらに減っていくと、歴史の物語化が進む。ただその際、客観的な史料や歴史書の存在がますます必要になります。

御厨　そう。歴史の真実、本当のところは血湧き肉躍るものではない。意外に「これか」というのが歴史。英雄史観ではなく、そこを掘り下げて見ていくのが教養です。

梯　明治時代のアイヌが活躍する大ヒット漫画「ゴールデンカムイ」は、アイヌの風俗や文化がきちんと描かれ、読者が「かっこいい」と評価する。若い人もいろんなルートで発見したり出会ったりして歴史に敬意を持つ。これも継承のかたち。少数者が得をしていると考えるバックラッシュ（揺り戻し）はあるが、日本においても人権意識の高まりは変わらないはずです。

松原隆一郎さんと語る令和の国会

初出：『週刊朝日』二〇一九年八月二日号「国会通信簿」

松原隆一郎　参院選後、永田町はどうなるでしょう。

御厨　安倍政権がどこで終わりを迎えるかというのが次のポイントですな。私は安倍さんがまっとうな理由で辞めるとは到底、思えない。えっ？　こんなことで、と思うことで最後は辞めるんじゃないかと思う。

松原　具体的には。

御厨　体調不良か、精神的に崩れるかもしれない……。

松原　自民党内では安倍四選論が浮上しますね。

御厨　次の総裁選びは難しい。次の総裁が誰になるかで党分裂だって起こる。

松原　分裂ですか？

御厨　そういう点で、自民党にとって、「総裁任期は連続三期九年まで」というルールを変えてでも、安倍さんが続投するというのは意味があるわけですよ。

松原　なるほど。

御厨　安倍さんが首相の座を降りるのには、いくつかの筋書きがあります。安倍さんがわざといったん降りて、別の人にバトンタッチする。だが、それが結局、大失敗し、もう一度、党内から「やっぱり安倍さんじゃなきゃダメだ」という待望論が巻き起こって、復活するというシナリオは本人も思い描いていると思います。

松原　安倍さんの次に総裁になる人は誰でしょうかね。マスコミの世論調査では必ず、小泉進次郎氏、石破茂元幹事長の名前がトップに挙がります。

御厨　そもそも、党内には人材がいないんだ。安倍さん自身が後継者をつくる気がないんだから。

松原　そういう意味では、プーチン方式というか、一回首相の座を降りて、また返り咲くシナリオはあながちないとは言えない。

御厨　安倍さんの母方の祖父の岸信介元首相の回想を読めば、おのずと方向性が見えてくる。岸さんは再登板できなかったが、二、三度と首相はカムバックして長くやったほうがいいと思っていた。そのほうが良い政治ができるとね、四度やった伊藤博文を挙げている。

松原　安倍さんの通算在任日数も吉田茂を超え、大叔父の佐藤栄作もまもなく抜き、安倍さんより長いのは明治時代の桂太郎だけになる。第一次安倍内閣が退陣したのが二〇〇七年九月。それから第二次安倍内閣が発足する一二年一二月まで、安倍さんは五年間、野党も経験し、強くなった。

御厨　野党を経験し、再登板するのは、祖父が予言し、狙っていたんですよ。そのとおりになった。

松原　ならば、ポスト安倍の首相候補は？　今、岸田文雄・自民党政調会長、菅義偉官房長官、石破さんの名前が挙がっています。

御厨　岸田さんはどうだろう。言うことが優等生でいい人だけど、リーダーの器としては疑問。だから、次の総理は岸田さんにやらせて、案の定、うまくいかなければ、「安倍さんを待ってました」となると考えているかもしれません。

松原　自分より年上で七〇歳の菅さんのほうが、安倍さんがもう一度、首相の座に返り咲きやすい気はしますけどね。

御厨　石破さんも総裁候補だと言われ続けてますが、立ち枯れしないでよく来たものだ。

松原　石破さんもあれだけ冷や飯食わされて要職からはずされたら、まわりから人がどんどんいなくなっちゃいます。

御厨　言えば言うほど昼寝しになっちゃう。石破さんは器量はあるんだけど、もったいない。

松原　岸田さんより少し若い河野太郎（外相）、片山さつき（地方創生担当相）、野田聖子（前総務相）、稲田朋美（元防衛相）さんらの世代は存在感がない。本来はこの年代で一〇人くらい総裁候補がいてもいい。その意味では、一番自民党を壊しているのは安倍さんですよね。

主要政党の国会通信簿	総合評価
安倍官邸	C
自民党	C−
公明党	D
立憲民主党	E
日本維新の会	E
日本共産党	D
れいわ新選組	D
社会保障を立て直す国民会議	E
国民民主党	—
社会民主党	—

A＝秀　B＝優　C＝良　D＝可
E＝不可　—＝採点不能

ヒール役の麻生守って求心力

御厨　その横で一番、役に立っているのが麻生太郎さん。麻生さんはヒール役に徹しているから。何を言おうと、何があろうと絶対にクビにならない。だから失言は全部、彼が言うことになっているんじゃないですか。最近は新聞も大きく取り上げないんだよ。

松原　モリカケ問題で、担当官庁が公文書改ざんしても辞めなかったんだから、年金の報告書を受け取らなかったくらいでは辞めない。

御厨　それはね、安倍さんが守ろうと思ったら守れるということをみんなに示したんですよ。そうすることによって、自民党議員はやっぱり安倍さんでなけりゃと思うわけだ。とにかく盟友は守るというのは、自民党の中では効くんですよ。

松原　それを助長しているのが、だらしない野党。政権側に見透かされている。参院選前の国会でも二千万円年金問題で自民党に衆議院解散をチラつかされると、本当に解散したらどうしようと、腰が砕けて追及の動きが止まってしまった。

御厨　立憲民主党の枝野幸男代表も口では安倍政権はダメだとは言うけどね。

松原　安倍さんは「悪夢の民主党政権」というフレーズを繰り返して使いました。野党は抗議していたけど、逆に全く民主党時代を反省してないんだなという印象が強くなるんですよね。

御厨　自民党では昔、党人派と言われたおじいさんたちが国会を仕切っていたわけですよ。またかつて、社会党の左派がなぜ、あれだけ強かったかというと、暴露ネタを左派が仕込んで、それを官僚に知られずに国会の委員会かなんかでぶち上げて、ボッとスキャンダルに火をつけた。そういうドラマがいくつもあったが、今の野党はそれをやる力量がないから。

松原　年金だけでは老後、二千万円不足という話自体は、最近では週刊誌がどこも似たような特集を組んでいるので、国民はみんな知っているでしょ。本気で国会論戦したら、非常におもしろいテーマだったのに。

御厨　野党がそこに論戦を持っていかなかったところが、やっぱりやる気がない。そして、やらなくてもいい党首討論をやった。党首討論にこだわったのは野党のほうで、参院選前にテレビで放送され、自分たちの姿がメディアに出るからという理由もせこい……。

松原　憲法改正案とかは、いちおう旧民主党も出したし、公明党も出したりしているわけですけど、年金について自民以外はぜんぜんやってこなかったイメージが強い。野党の間で意見が割れたり、揚げ足取りしている場合じゃない。

御厨　理念というほどの理念が既にないんじゃないですか。

松原　立憲の枝野（幸男）さんの国会論戦を聞いても主張したいことが特にあるわけでもない。ただ、野党第一党の座には、こだわっているように見えます。

御厨　枝野さんが一番、排除の論理が働いている。国民民主党をいかにたたくか、そういうときだけギーギー言う内ゲバ体質のように見えます。彼が一番恐れているのは立憲が野党第一党の座を滑り落ちること。国会のしきたりから言うと、いちおう与党の総裁と野党第一党の代表というのは対等に扱われるから、気分が悪くないはずです。

松原　与党になろうと思わず、野党第一党が居心地がいいんですね。

御厨　安倍さんがしょっちゅう、海外へ行って、国賓としてプロトコルで優遇されてるでしょう。そういう待遇が好きだというのと似たようなもんでね。野党第一党のポジションというのは枝野さんにとっては絶対譲れない。

松原　立憲の国会通信簿はE判定ですね。

御厨　枝野さんの小さな幸せは、国民にとってちっとも幸せではありません。

松原　国民民主党の玉木雄一郎代表とは御厨さんは何度も話をされています。

御厨　彼はどう見たって、自民党から出るのがぴったりくる人。玉木さんには、私が「時事放談」（TBS系）の司会をやっているころ、出演してもらったけど、ひとことで言えば、余裕がない。明日、予算委員会で何か発言しなきゃいけないというときには、それで頭がいっぱいのように見えた。スケジュール以外のことにまで手がまわらないんだよ。

松原　玉木さんは財務省出身で、顔もいいけど、存在感が希薄ですね。

御厨　しゃべっていることが野党というより、官僚の代弁のように聞こえる。彼の理論はわかりやすいんですよ。けれど、国民民主って何ですかって言ったときに、アッとなっちゃうところがある。頭の切り替えがよくできていない。国民民主の通信簿は「採点不能」です。

松原　日本における中道右派は今、日本維新の会ですね。でも、維新の特徴は下品。トンデモ発言の丸山穂高議員とか、維新を除名されたとはいえ、いかにも維新という個性はある。この存在感は、国政の政党としてはいかがなものか。採点はEです。

御厨　旧民主党にとって必要なのは、さっき松原さんがチラッと言ったけれど、本当の意味で反省すること。彼らが政権時代、官僚と一緒に出した政策は必ずしも国民にそっぽを向かれるようなものではなく、今の時代にも通じるような斬新なものもたくさんあった。安倍政権は民主党政権の政策を上手に引き継いで、次々と実現させている。

松原　安倍さんは何でもあり。それで野党も反対しにくい。今国会で政府は五四くらい法案を通しているんだけど、内容が子育て支援とか子供の虐待防止とか、野党は反対できないようなものばかり。

御厨　そう、そこが安倍、菅官房長官のコンビの巧みなところ。菅さんならやってくれると官僚がわかっているから、お膳立てして、次々と持っていく。

松原　旧民主党が悪は官僚だ、埋蔵金もあると言ったのは、反省しないとどうしようもないですね。

御厨　そこが第一の反省点。民主党政権がつぶれたとき、官僚は使えると思った議員は全部、唾をつけておさえたんですよ。イデオロギー関係なく、各省庁はみんなやってましたよ。たとえば、辻元清美さんのところへは国土交通省のお役人はある時期まで通って、政策のご説明をしていた。

松原　辻元さんは国土交通副大臣をやってました。

御厨　ある国交省の官僚は辻元さんって社民党出身だけど、実務者としての能力は高いと言っていた。だから、自民党政権に戻っても官僚らはもう一度、政権交代があっても動けるように民主党の有望な議員らにも渡りをつけていた。だが、安倍政権が長く続き、官僚も離れていった。

松原　民主党時代に活躍した松本剛明（元外相）、細野豪志（元環境相）、長島昭久（元防衛副大臣）はみんな自民党へ行ってしまった。

抱きつきスリで公明壊した首相

御厨　自民党が一本釣りをしたわけだ。参院選で自民、公明、維新の改憲勢力で三分の二を割り込んでも、国民民主の議員らを一本釣りして足していけば、勢力は維持できますね。

松原　連立を組む公明党の存在感がなくなっています。

御厨　公明党は今、一番困っているんじゃないですか。要するに、もう独自性を発揮するところが何もない。自民党と組んで、いつの間にかドツボにはまって、自民党の言いなりになってやっている。

松原　維新の松井一郎代表が仕掛けた四月の大阪市長、府知事のW選で、公明党は自民党と組んだけど、完敗。負けた途端、参院選では維新にすり寄りましたが、これじゃ現場がついてこなくなるんじゃないですかね。

御厨　公明党の山口那津男代表はいろいろ取り繕うような発言をしているけど、この党は自民党から離れるなんてできませんよ。だって、二〇年も自民党と与党関係を結んでいるんだから。これはもう出られない。公明党は衆議院を抱えている限り、切り崩されもするし、自民党と組む必要が出てくる。楽になるためには衆議院を捨てるべきだ。昔のように参議院のみで戦えと言いたいね。衆議院でやった議案をもういっぺん、参議院できちんと議論するのがわが党の方針であるとやれば、それは迫力が出てくる。

松原　安倍さんが一番、長い時間をかけて公明党を潰している感じですね。

御厨　ずっと抱きつきスリみたいなもんですね。公明党が存在しているだけでいいとするならば、通信簿はDだな。
松原　共産党は？
御厨　わが国会通信簿では、共産党という党名ではダメだ、党名を変えよと長年言っている。私は、本当の意味の開かれた政党にすべきだということを言って、共産党の志位和夫委員長から「それだけは絶対にやらない」と言われた。
松原　ははは。
御厨　党員が年を取ってきているし、若い人がほとんど入らない。青年部と名乗って出てきたら四〇代だったり。赤旗を配っているのがもう七〇代のおじさんだったりするわけです。そういう状態ではなかなか厳しいと思うのでD。
松原　山本太郎のれいわ新選組はみんなおもしろがってますね。比例から出た安冨歩・東大教授は、あの世代の学者ではエースですよ。ビジュアルはトンデモないが、偉いんですよ、彼。
御厨　ちょっと、化けるにしても化け方が遅すぎた。風を起こすには彗星のように現れる輝きを持った人が必要だ。かつての小沢一郎がそうだったけど、山本太郎に果たしてできるのだろうか。れいわの通信簿はCはやりすぎなのでDだね。
松原　社民党はもはや存亡の危機です。採点不能。
御厨　安倍官邸はドラマ性は低いから通信簿はCだな。二階俊博幹事長が率いる自民党は官邸と一体のような存在だから、Cマイナス。
松原　それより上は無理ですね。安倍さんを官邸から追い出すような政変も党内では起きないでしょう。

御厨　まぁ、まだ安倍一強というのがしばらくは続くでしょうな。安倍さんがいなくなれば、麻生さん、二階さん、菅さんもいなくなる。そしていずれ、誰もいなくなってしまったりして……。

日野啓三さんの思い、今なら分かります

『京都新聞』二〇一九年九月一〇日夕刊

パスポートの有効期限が切れかかった。継続申請をするか否か。昨年の今だったらおそらくそのままにしただろう。でも今年は違った。ツレアイと共に七月末、暑い最中に有楽町の交通会館まで更新手続きに出掛けた。夏休みゆえに申請者が多く事務所は大変混雑していたが、待っている間に一〇年前の申請時のことをはっきりと思い出した。二〇〇九年だから、フランスはアルザスの日本学研究所に講義と演習に行くためだったなあと。

あの折は、何の躊躇《ちゅうちょ》もなく一〇年にした。還暦前だったし五年なんて中途半端と思ったからに他ならない。今度はどうだったか。すぐに行くあてはないが、五年なんてとんでもない。一〇年一〇年と念仏のように唱えていた。それは図らずも一年半に及ぶ私の闘病生活にひとまずピリオドが打たれた証しと私には思えたからだった。何せ大変な事態であった。昨年三月の突然の発病以来、二度の検査入院、二度の本格入院、さらには二度の通院治療。この一年半は大学よりもどこよりも病院が生息地となってしまった。年末年始を病院で迎えるなんて、生涯に初めての得難い経験であった。

ようやく今春から、薄紙をはぐように身体全体の体力が回復に向かい、元に戻ったとの確信が得られた。だからこそ今年の夏は、学者稼業を始めて以来、軽井沢別荘への初の一カ月滞在ができた。ワーカーホリックだった私が病を克

服して久しぶりに人間らしい生活に戻ったと言っても過言ではない。何よりも一〇年のパスポート更新が望ましかった。古希を目前にして、五年のこま切れの如き更新は何とも切ないではないか。

パスポートと言えば、亡くなった作家の日野啓三さんのことを思い出す。今から二五年前のことだ。当時読売新聞の読書委員として、親しくしてもらっていた日野さんと、やはり暑い夏の一日、ひょんな所で出くわした。あの新宿の都庁前広場である。都庁での用事をすませ、広場を歩いていると目の前の喫茶店から、老人が倒《こ》けつ転《まろ》びつしながら「御厨くん、御厨くん」と大声で叫んでいるではないか。それが日野さんだった。「こんな所で会うなんて奇遇だ！」日野さんは小説家の感性のおもむくところ、この出会いにいたく興奮していた。次から次へと癌《がん》に侵されながら、その自分を見つめる小説を書き続けていた日野さん、その目の前に健康そのものの若き四〇歳代の私が現れたのだ。病身をおしてもどうしても行きたい所があるので、パスポートの更新に来たのだと日野さん。「一〇年だよ、もちろん！」。病魔と向き合ったことのない私にはチンプンカンプン。「でも次の更新はない」と日野さんははっきり言い切った。「だからここへ来るのも最後なんだ。そこでキミに会えるなんてね」

日野さん、私も病と向き合う意味が分かる年齢になりました。あの時の日野さんのパスポートへの思い、今ならよく分かります。十年一昔といいます。私の友人たちは、一〇年たってまた一〇年とからかいます。そうかもしれません。そうでないかもしれません。でもあの折の日野さんのパスポート更新と同じ地平に、今私は立っています。

時代を懐かしむ

——未来へ

新境地を求め続けて

初出：『日本経済新聞』二〇一八年一一月二六日夕刊〜三〇日夕刊
取材・構成＝日本経済新聞社　論説フェロー　芹川洋一氏
「新境地開いた政治学者」①〜⑤

今年の春、紫綬褒章を受章した御厨貴・東大名誉教授（六七）。書斎を飛び出し、口述記録のオーラルヒストリーなど新境地を開いた政治学者である。専門の日本政治史にとどまらず現実政治にも精通。九月末で終了した政治討論番組『時事放談』では一一年半にわたって司会を担当した。

古希まであと三年。紫綬褒章というご褒美をいただけることになり、学者先生はそんなとき四の五の言ったり、本当はもらいたくないなどと言うんですが、私は喜んでもらいました。日本政治外交史を専門にやってきて研究が認められ、オーラルヒストリーによる分析が評価されたとすれば、それはうれしいもんですよ。

学者の中では、よく、御厨さんあなた、昔は書斎派だったのに、テレビに出ておしゃべりをしたりと、ずいぶん変わったねと言われたものです。

しかし私の中では同じなんです。『時事放談』も最初はいいんです。要は最後です。残り六分になったとき、あといっぺんフリップを出して間に合うのかどうか、どうやってまとめに入るのか、ずいぶん考えます。

そのことは論文を書いているときと同じなんです。いろんなところに布石を打つ。昔は一五ぐらい打っても、それを最後にすべて回収する作業に成功しました。それは『時事放談』も同じなんです。本の中で苦労していたことをテレビの中でやってきた。形は違うけれど、私自身を出していたのは同じです。

旺盛な著作活動と研究への意欲は衰えることを知らない。吉野作造賞を受賞した『馬場恒吾の面目』をはじめとして、今年も共著『日本の崩壊』、単著『平成風雲録』など著書は枚挙にいとまがない。

研究生活で本当にハッピーだったと思うのは、自分の職業がこの道で良かったのかな、別の道はなかったのかな、などと思うことなく、常に新しい研究分野が広がっていたことです。

こんど紫綬褒章の受章にあたり、調べてみたら単著で二九冊ありました。編著・共著を入れたら全部で九〇冊以上あります。

直近では『平成の政治』を刊行しました。ジェラルド・カーティスさん（米コロンビア大名誉教授）、大田弘子さん（政策研究大学院大教授）、蒲島郁夫さん（熊本県知事）らと平成の三〇年の日本政治について語り合ったものです。

これからも本を書きつづけていきます。いろんなところでチャンスがあれば自分を表現していきたいと思っています。

やりたいことで、まだ仕上がっていないのが『権力の館を歩く』です。国会議事堂など権力が行使される場に焦点をあてて、そのときになされた意思決定や権力者たちを描いたものですが、もうちょっと広げて、地域の権力についてやってみたい。

この前は全部東京の権力だったので、それを地域に広げてね、いろいろな権力者のおもしろい話がある。こんなものを拾っていくというのがひとつの作業かなと思っています。


一九五一年（昭和二六年）、東京で生まれた。父親は大連二中から旧制山形高校、東大経済を出て小林商店（現在のライオン）に入社、五五年、九州支店へ転勤になった。福岡で幼稚園から小学校に通った。


九州に向かったのは四歳のころ。急行雲仙に乗った。一晩たってもまだ着かない。ずいぶん遠いところへ行くんだなと思った。小学校は、そのころ福岡学芸大（現在の福岡教育大）といったけど、その付属に通いました。

東京から来たから、たちどころにいじめの対象になりました。東京弁でしゃべるのは軽蔑の対象だった。オモチャの刀でたたかれたのを覚えています。子どもの世界では博多弁を覚えないと生きていけないことがわかったんですね。

しかし、親父やおふくろは、福岡には、ちょっといてまた東京にもどるのだから、絶対福岡っぽくなっちゃあいけない、標準語でしゃべろ、という。

二重言語状況になったのよ。親にはちゃんと標準語で話し、学校ではべったりの博多弁でしゃべる。これでようやく仲間の端っこに入れてもらった。

小学六年のとき東京に帰り文京区の誠之小に通うけど、担任の先生は関門トンネルでつながっているのに「海の向こうから来た人です」と紹介するし、「おまえ東京弁なんて最近覚えたんだろう。これを向こうの言葉で何ていうんだ、言ってみろ！」。またいじめだものね。

文京六中から都立小石川高校に進学し、高校二年のときに書いた論文がある政治学者の目にとまった。新聞紙上で取りあげられた。そこから高校の教師にすすめられ、東大の法学部で日本政治史を学ぼうと思う。

六中から小石川に行けるかと思っていたら、学校群制度になって、その第一期で、小石川高校は竹早高校と一緒になった。たまたま小石川だったからよかったけど、竹早はそのあと高校紛争がすごくて、仲間の半分ぐらいはゲバっていました。

小石川には旧制府立五中以来の「開拓」という校内誌があった。編集長をやった。高校二年で書いた文章を三年のとき巻頭論文に載せた。「平沼騏一郎と国本社」というものでした。

母方の祖父は木村尚達といって熊本の出身で、検事総長をやり米内内閣で司法相をつとめ、貴族院議員だった。母方の祖母は会津の白虎隊の生き残りの子どもで、東京女子高等師範（現在のお茶の水女子大）を出て仙台の第二高等女学校の先生をしていたそうです。肥後と会津がよく一緒になったと思うけど。

当時、祖母がまだ生きていて、「広田弘毅さんが」といって元首相を話題にし「平沼さんは女の人が近づかない不思議な人だった」とかいろんな話を聞かせてくれた。

学校で習っている歴史の流れとはずいぶん違うなと思い、高二の夏休みに新聞社の資料室や図書館に通って小論をまとめた。それを神島二郎さん（立教大教授）が朝日新聞にペンネームで書いていたコラムでほめてくれたのが学問を志すきっかけだったんです。

一九七一年（昭和四六年）、東大に入る。駒場の教養学部の二年の後期にとったゼミがその後の進路に大きな影響を及ぼした。担当教官は政治学者・佐藤誠三郎氏だった。

佐藤ゼミは政治学に関する文献の多読だった。新書だろうと分厚い本だろうと毎週一冊読んで、コメントを書いて提出する。佐藤さんはそれを読んで、論理的に弱いとみられるところを見抜いてゼミ生に問いただす。

最初は五〇人いたのが最後は二〇人くらいになった。民青の学生にはきつかったね。ぐうの音も出ないくらいに追いつめる。右にもきつかった。右翼理論がいかに頼りないものかとばんばんやっつけるんです。

のちに学者になって在外研究で米国にいたとき佐藤さんが来たから、聞いてみたんです。「先生、弟子の中で、だれがいちばん優秀ですか？」。ぼくの顔をじっーと見て「本当のことを言う。一番は北岡伸一（国際協力機構理事長）、二番は田中明彦（政策研究大学院大学長）」。で、だまっちゃって「三、四、五、六がなくて、まあ君、一〇指には入るかな」って。論理明快な人が好きだった。こっちが御馳走しているのに、佐藤誠三郎という人は正直な人だったね。


そして本郷の法学部のときに、とったゼミで人生が決まった。日本政治外交史の三谷太一郎教授だった。


三年の後期のゼミが三谷太一郎先生で、そこでの永井柳太郎（民政党幹事長・逓信相）のリポートが認めてもらえた。法学部卒業と同時に助手に採用する制度があったので、三谷先生に助手になりたいと言いに行った。なかなかうんと言ってもらえなかった。

学部の成績で優が七割以上あるんだけど、じゃあ論文を書きなさいとなって永井柳太郎を改訂してもっていった。それで解放されるかと思ったら、政治学の素養もみなくちゃあならないと三〇〇ページぐらいある原書をわたされてそれを読んでトクヴィル論を書いてこいと。厳しかったな。

助手に採用されて昭和の戦前期について研究したいと考えた。しかし三谷先生から「もしあなたの仮説で論文を書いたとき、まだ生きている人がいるんですよ、自分の思っていることと違うと言われたらどう弁明するんですか」と怒られた。

嫌だなと思ったけど明治にいった。研究の実績が薄い明治一〇年代を対象にすることにして、助手論文をまとめました。加筆して東大出版会から八〇年に刊行したのが『明治国家形成と地方経営』。二九歳のときでした。

三年間の東大助手のあと、七八年に東京都立大の助教授になりました。二〇年間いた。最初の一〇年が目黒。あとの一〇年が八王子市南大沢。一〇年たって教授になったころ、二年間、米ハーバード大に行った。そこでオーラルヒストリーに興味を持った。

帰ってきたら南大沢に大学が移っていた。オーラルをやろうと思ったので、都心部にいないとできないので九九年に政策研究大学院大、さらに二〇〇二年には東大先端科学技術研究センターに代わったんです。

歴史研究のために当事者から直接、話を聞いて記録としてまとめるオーラルヒストリーに本格的に取り組む。はじめは日本近代史の伊藤隆氏（東大名誉教授）らの後を継ぐかたちだった。

上の世代の研究者が木戸日記研究会などで二〇年、三〇年以上前の人の話を活字にして歴史研究に役だてるといっていた。せいぜい一〇年以内だろうと思って、まず下河辺淳さん（国土次官）に国土計画をしゃべってもらったのがはじまりです。

その次は後藤田正晴さん（官房長官）に頼んだ。実質的なオーラルは後藤田さんとの接触の中で学んだね。それを『情と理 後藤田正晴回顧録』で刊行した。それから官房副長官だった石原信雄さん、読売新聞主筆の渡邉恒雄さんといろんな人を取り上げました。

オーラルのポイントは、こちらの質問に相手が言いよどんだとき、相手の沈黙にどれだけ耐えられるか。だいたい研究者は自分がしゃべりたい人ばっかりでしょ。こちらがまとめないで、じーっと待つ。二分でも待ったことありますよ。ぐーっと雑巾絞っているようなところを突いていかなくちゃいけない。

『政治とは何か 竹下登回顧録』、『聞き書 宮澤喜一回顧録』と歴代首相のオーラルヒストリーを相次いで刊行していき、新たな領域を開いた第一人者としての評価が定着する。

竹下さんは逆に親切すぎて困った。すごく準備していてこっちが何を聞きたいのだろうかと勝手に忖度してしゃべるんだね。だから事前に渡していたのとは変えて質問したりした。するとそういう質問はなかったなと驚いたりするけど、それはそれで楽しんでくれていた。

宮沢さんは正直だったと思うな。作らなかった。しゃべれないって、はっきり言うから。だから宮沢回顧録はけっこう穴があいていて、随分書評でたたかれた。御厨は攻めきれていないって。そのまま欠にして出すのはオーラルヒストリーの風上にもおけないってね。

宮沢さんがだんまりを通したのは三木武夫内閣の外相時代。これは忘れましたと言った。もうひとつは、鈴木善幸内閣の官房長官時代。これも一切言わなかった。

鈴木内閣・宮沢官房長官じゃなくて、宮沢内閣・鈴木官房長官と言われた時代ですから、絶対に聞かなければなりません、とぼくが言った。そしたら、すごい顔して、あなたがいまおっしゃったことは私にとって最大の屈辱ですって言うんだ。ピッと向こう向いて。

商業出版したものだけでも一〇指に余るくらい。オーラルに対して自己正当化という批判がある。どこかでうそをつく可能性はあるけど、一から十まで平然とうそはつけないね。うそが入っているなと思う場合は、ぼくらのオーラルって月一回、一二回やりますから、後からもう一回聞くという手があるわけ。そうするとついしゃべるんですよ。一回だと無理だけど、何回もやっているとね。そこはおもしろいところですね。

テレビの世界に進出したのは二〇〇七年だった。『時事放談』の司会をつとめ、多くの政治家の話を直接聞く機会を得た。三・一一のあとの復興構想会議、天皇陛下の退位の有識者会議と、いずれも議長・座長代理として取りあつかいの難しい問題をさばいた。

オーラルヒストリーは時間をかけてようやくその人が分かってくる。テレビ番組で実感したのは、にじり寄ってきて発言の回数や時間をうるさく言う人、メイクルームで怒鳴る人とちょっとした態度やわずかな言動に案外その人の本質が出る。これはおもしろかったですよ。

人間観察としてはいい場面でした。それがあの番組をやらせてもらっていちばん良かった点ですね。人物評論を書いたりするときずいぶん参考になった。

復興構想会議はメンバーが一五人いて、野党的な発言が目立って大変でした。

菅さん（首相）も会議をつくっておきながら、一一年五月になると再生エネルギーに関心が移って、最後は結論を早く出してください、って言うんだよね。ただ官僚は協力してくれた。

退位の有識者会議はメンバーが六人いたけど、新聞記者の対応から何から一人で回さなければならなかったのが大変だった。官邸がどう考えているのかなかなか分からない。杉田和博官房副長官に会議がはじまる一〇分前に会って忖度するんです。

もうひとつは官邸と宮内庁との間のバトルがあったからね。皇室典範の改正が希望だったんだろうけど、典範に手を付けようとすれば一年ではとてもできない。退位の特例法がやはりいちばんいいんです。何とかできたのは皆さんに感謝です。


四〇年以上、学問に携わってきて、研究のやり方も変わってきている。政治学のあり方も問い直されている。そんな中でこれから何をめざしていくのか。


ずいぶん研究の仕方も変わりました。ぼくらのころは、先行業績はすぐには出てこないから、適当に本を読んでここを引用すればいいかなという程度ですんだ。いまの若い諸君はネットで検索するといっぱい出てくる。全部読んでも賢くなるわけがないんです。知識汚染が起きる。昔の分析にひとつ足したみたいな研究が横行している。

もうひとつ、ぼくらのころは黙っていても就職できた。いまは論文が何点なければ准教授になれないとか、任期制だとか、大きく伸びる政治学者を少なくしているように思います。

おまえはどうだったのかと問われると、佐藤誠三郎先生言うところの論理で構成して歴史の味付けをするというかたちにはいかなかった。歴史の中身がおもしろいんですよ。エピソードを最大限に生かしながら、いまの政治にそれがどういうふうに解釈できるのかということを心がけてやった。政治学のひとつとして人間学があってもおかしくないと思いますしね。

これからも自分と違う系統の人、タイプの異なる研究者といっしょに緊張感をもって仕事をしていきたいですね。

銀座の街と「ワイガヤ」

初出：『銀座百点』第七六九号、二〇一八年一二月
原題＝「銀座と琥珀色の光景」

　銀座というと、いくつもの光景が浮かび上がる。もう四十年以上昔のことになる。私の学生時代から研究者になりたてのころのことだ。まずは、銀座英國屋とニユートーキヨー。取り合わせは一見妙だが、自分史の上ではまっとうである。私の父のスーツはいつのころからか、英國屋仕立てであった。春夏秋冬、私も連れられて銀座の英國屋によく立ち寄ったものだ。もちろん父のお供であったが、大学卒業のとき、フレッシュマン・スーツは、ぜいたくそのもの、英國屋仕立てであった。
　研究者になりたての大学の助手時代、毎日国立国会図書館に通っての帰りがけ、いつしか足は数寄屋橋のニユートーキヨーにむいていた。まだ今のリニューアルのもっと以前の古きよきビヤホールの時代である。夕闇迫り日がおちる直前、ワイガヤのビヤホールにすい寄せられ、古風なイスに腰かけるや否や、「大ジョッキ！」とさけぶ。あっという間に、最近のグラスのように小さくなった器とは異なり、正真正銘の大ジョッキになみなみと注がれた琥珀《こはく》色のビールを泡もろとも、ごくごくと一気

に飲みほす。たまらない快感だった。今日一日の資料収集の疲れが一挙に吹きとんだ。私の学問的処女作は、ニユートーキヨーの大ジョッキのおかげを被《こうむ》っているといっても、過言ではない。その後、結婚してからは夫婦でよく銀ぶらを楽しみ、これまた今はなきピルゼンによく通った。元気よかったなあ。あのころは大ジョッキ三杯は平気で、ケロッとしていた。

琥珀色の思い出と並ぶ、もう一つの光景は教文館だ。銀座にも個性的な本屋が何軒かあった。教文館は、一階、二階と本の並べ方に主張があった。新刊書もそうでない本も、「私を選んで」といわんばかりの調子で書棚に並んでいた。あるテーマを追求する際、ここでの本さがしは当たりが多かった。そう、なんでも彼《か》でもなく、適当に一日で見通せる範囲にすべてがうまく収まっていた。だから新聞の書評委員になった一九九〇年代は、書評本選びのたびに、教文館にお世話になった。これまた今はなき旭屋書店も同様であった。いずれの店でも、五〜六冊の本を買いそろえたら、もちろん向かうのは、琥珀色の世界。ニユートーキヨー、ピルゼン、そして銀座ライオンが加わった。大ジョッキのほろ酔い加減の中で、ためつすがめつ買ったばかりの本を、なでる、ながめる、読んだ気になる……。これまさに至福の光景である。

このころ、よく銀座で編集者と待ち合わせることがあった。五丁目のにぎわいの中で、オアシスのような場所が、銀座ワシントンの最上階にあった。ゆったりと座れるソファのようなイスに腰かけた女性たちの醸し出すサロンの雰囲気に、臆することなく、むくつけき男性二人がそこで本の企画の打ち合わせに臨んだ。「いい店でしょう。隠れ家みたいで。あまりいいふらさないでくださいね」と年長の編集者。でもこの手の約束が守られるはずもない。別のしかも若き女性編集者と会っていて、

「アッ、彼がいる」と、バツの悪い思いをしたこともあった。

　銀座・伊東屋と鳩居堂。いつのころからかお世話になっている。といっても年に一度だ。この十年ほど、秋になると必ず伊東屋の日記・手帳コーナーに一度は立ち寄る。日記はモレスキン、手帳はクオバディス、これが私の毎年の定番なのだが、まずは新鮮な気もちで、このコーナーに立ちつくす。日記も手帳も、和製、洋製、大小さまざまな種類のものがある。今やシャレた細工を施したものも多い。そこでついときどき買ってしまうのだ。定番以外のものを。ムダ買いかもしれぬが、買うときのワクワク感がたまらない。「今どき、そんなもの、アマゾンで買えるのに」と、若者にはあきれられる。本もアマゾンでしか買わぬ若者には、店頭でのちょっとした緊張感と開放感とが入り混じったあの手ざわり感覚がわからぬのだ。まして原稿用紙。もう前世紀の遺物扱いされる。毎年一回、鳩居堂を訪れ、これはお気に入りと毎年新しいものを、幾しめか買う。絶滅危《き》惧《ぐ》種の原稿用紙、人間のささやかな喜びだ。買った買ったの満足感に浸りながら、足はいつのまにやら琥珀色の世界へとむいている。

　苦い思い出も銀座にはある。これもまた今はもうないホテル西洋銀座での話。ミレニアム前後のこと、オーラル・ヒストリーという口述筆記の方法による歴史研究を進めていた私は、あのセゾングループの総帥にして文化人の堤清二＝辻井喬さんを、ターゲットにするのに成功した。十数回にわたる話を記録にまとめたのだが、その校正が進まず、おまけに追加オーラルの日程調整もままならない。連絡しても返事はないし、とにかく逃げろや逃げろの一点ばり。業を煮やして問いつめた揚げ句、「いつものホテル西洋の二階の喫茶で」との約束はとりつけたものの、待てどくらせど現れない。秘書に電話すると、「歯医者に治療にでかけられました」との返事。またもや逃走か。でもその後ショボショボと現れた堤＝辻井さんと談判。じっと黙ったきりで苦渋の表情を変えぬ姿に、私はそれ以上の追求をあきらめた。

もっとも堤＝辻井さん没後、遺族の方のご厚意で、オーラル・ヒストリーは中央公論新社から出版された。最後はめでたしめでたしだ。

今から数年前のこと、放送大学で幕張のスタジオ撮影が終わったあとは、若き相棒を伴って、五丁目の竹葉亭に急いだ。ウナギだ。店内は常連とおぼしき御婦人方が多かったが、またまた男性二人で、ここはお酒だろう。しかも燗酒《かんざけ》だ。胃の腑《ふ》に沁《し》み渡るお酒を味わいつつ、二人できょうの反省会だ。ウナ重を食するころには、きょうは名作をつくったという自画自賛話になっている。

こうして私と銀座の光景を語ってくると、まぁいつものことで、ビールとお酒の楽しうれしの世界になっている。人間がおめでたくできているのだろう。そうだ、最近奥にしまってあった英國屋のスーツを取り出してみた。父が健在の折、つくってもらったものだ。今体を絞りつつあるが、あれから幾星霜。もしかすると、今ひとたび着られるようになるかもしれぬ。夢のような話だが、実現すれば私と銀座の光景は、一巡する。そうだ、またワイガヤを求めて、久しくご無沙汰していた琥珀色の世界にくり出してみるか。

おやじの背中

父親は仕事仕事の毎日でしたけど割合に子どもが好きで、近所の子も集めて一緒に遊んでくれました。ただ、僕はあんまりスポーツが好きじゃなくてね。せっかく野球チームを作ったのに、一人息子が観戦に回るんですから、父にしてみれば心外だったでしょう。

祖父が旧満州で商売をしていた関係で、中学までは大連育ち。旧制の山形高校から東大に進み、学徒動員で軍隊にとられました。経済学部を出て現在の（大手メーカーの）ライオンにあたる会社に就職して、最初のうちは歯磨き粉などのセールスをしていたそうです。一九六三年に発売された解熱鎮痛薬「バファリン」では、マーケティングの先兵になりました。

教育方針はそんなに厳しくなかったけど、小学校の頃の出来事は印象に残っています。買ってもらったばかりの自転車を転倒させてハンドルを少し歪《ゆが》めてしまい、気まずくて黙っていました。父に自転車はどうだと聞かれた時、色々と良かった点にふれて最後にハンドルの件を伝えたら、顔色がちょっと変わってね。「何か事があって人に話す時は、一番叱られると思っている内容から言いなさい。叱られ上手の方が人間として見るべきところがあるんだ」と。それからは必ずそうしていましたよ。

将来は研究者になりたいと話した時には、「学者って絶対もうからないと思うけど、そんなに好きならばやってもいい」という反応でし

『朝日新聞』二〇一九年四月二一日

た。父は学生の時、学徒動員を控えて希望した先生のゼミに入れなかった。そういう学問に飢《かつ》えた経験も背景にあったのかな。

五〇歳で会社を移ったのは周囲を驚かせました。でも、宮本武蔵の「我事において後悔せず」が口癖の人に迷いはなかったです。僕自身も、働く大学を結構移ったし、テレビ番組の司会もやったけれど、父の自由さみたいなものが自分の中にもあるんでしょうね。

父は新しい会社で社長をしながら書いた経営の本が評価されて、晩年は山梨学院大学で教えました。学生に自分の実体験を交えながら話すのは楽しかったようです。九三年に七二歳で亡くなり、研究室の整理に行って驚きました。机の引き出しを開けると、たばこの箱がびっしり。胃がんの手術後は吸っていないはずだったのに。困ったものだけれど、ここでの時間は格別だったんだろうなと思いましたね。

ラジオとの再会

最近、カフェで流れる音楽がきっかけで、何とラジオにはまった。新品を買ってラジオ三昧《ざんまい》だ。ラジオは斜陽と言われて久しいが、どうしてどうしてずっとつけっぱなしにしておいても、いやつけっぱなしにしているからこそ、新鮮な感じが何とも言えない。

あのお茶の間に無遠慮に入り込んでは、拍手や笑いを強要するかに見えるテレビとは、大違いである。音楽でも、対談でも、独白でも、テレビとは違いラジオは余白を残しながら、じっくりと聴かせてくれる。聴き手には、話し手の複層的なしゃべりが心地よい。

聴きなれぬクラッシックの曲が、聴いているうちに、おお、聴いたことがあると、思い出すことも割にある。それはラジオの持つ、今の時間を昔のそれに引き戻してくれる懐かしさの感覚と言っても良い。

ＦＭ、ＡＭ、それぞれに特徴があり、気分によって聴く局を替えることができる。もっとも司会者、解説者は、当然のことながら、私よりははるかに下の三〇歳代から四〇歳代の知らぬ人ばかりだ。テレビと同じく、彼らの悪ふざけも、特に目に余るならぬ耳に余ることもあるが、テレビのように嫌な気分にはならない。

かくて私は仕事をしながら、ラジオの友となった。

ラジオはしかし、私の一生で初めての経験という訳ではない。かつて二度ほどラジオ族だっ

『京都新聞』二〇一九年一月二一日夕刊

た時期がある。最初は一九五〇年代からの一〇年余り。テレビに先立つラジオの全盛期だ。毎朝、ほぼどの家庭でも、時報がわりにラジオはつけっぱなしだった。ニュースも聴いたが、子供が両親と共に聴いたのは、ラジオの寸劇的コーナーだった。中村メイコは七色の声と言われたが、それを駆使して一家族のすべての役割を演じた。彼女の声色の変化に、ネクタイをしめながら、いつも父親が「大したものだ」と毎回繰り返したことを覚えている。短時間で変わる寸劇的コーナーには不思議と安定感があり、長寿番組が多かった気がする。

　ちょうどこの頃のことだ。ラジオは幼少年の生の声を欲していた。遠足の印象をしゃべったり、児童書の感想を、当時はしりのラジオのディスクジョッキー（ＤＪ）が、自らの語りの中で取り上げてくれたりした。意外にもラジオは身近な存在だった。

　次いで大学受験期。人も知るまさに一九七〇年代前後のことだ。多くの青春の日々は、ラジオの深夜放送に費やされた。各局に人気のＤＪが揃い、深夜明けの朝の教室の話題は、自分のお気に入りのＤＪの話題そのものに、他ならなかった。熱心な聴き手は、今のファクス、ＳＮＳ（会員制交流サイト）よろしく、一枚のハガキにＤＪへの愛を込めて書いたものだ。読んでくれるかなあと淡い期待を持って。これまた懐かしの一コマだ。

　かくて老年期に、どういう訳かラジオに取り憑《つ》かれた私は、昔の放送の再放送があることや、色々面白い仕掛けがあることに気がついた。でも、もうそれにはまる歳《とし》では流石《さすが》にない。ラジオはラジオだとばかり、ガチャガチャとチャンネルを適当に替えながら、当座の放送局を決めて、ながら族を楽しんでいる。

小劇場から世界へ——〝E9〟ができた！

『京都新聞』二〇一九年七月二四日夕刊

ついにできた。わずか三年でできた。血のにじむような関係者の思いが、かたちとなった。もっともコンテンツはこれからだが、六月二二日と二三日、京都の東九条に瀟洒《しょうしゃ》な劇場が完成したことを祝うオープニングレセプションが開かれた。普段は人影もまばらな東九条の一角だが、二日間で二〇〇人もの人が集まると、それだけで〝動き〟が生じる。これまで静寂そのものだった空間に〝ざわめき〟が生まれ、場の空気が一変する。何かをしよう、何かを作ろうという人々の息吹がそこここに感じられる。

今から三年前、京都小演劇の若い演出家であり俳優であるあごうさとしと、ロームシアターの支配人だった蔭山陽太という二人の演劇関係者から、京都の小劇場の次から次への閉鎖と小劇団の存続の危機についての話を聞かされた。その上、新しい小劇場をつくって今の危機を打開したいので、ぜひ協力をということだ。京都人でも演劇人でもない私になぜ?と、まずはとまどった。だからこそお願いしたいと二人。確かに京都にも演劇にもまったく無縁ではないのだ。息子が京都の造形芸術大に通っていたし、演劇に魅せられて芝居に出たりアートの活動にも関わってきた事実がある。だから東京の政治学者の私も、しばしば上洛《じょうらく》して、西部講堂、立誠小学校、アトリエ劇研などをマメに訪れていた。わざわざ上洛して小演劇三昧《ざんまい》とは。今思っても不思議である。

結局、嫌々ではなくかなり進んで、小劇場建設の呼びかけ人代表となり、パンフレットに文章も書いた。狂言の茂山あきら、現代美術家のやなぎみわといった人たちが立ち上がるということで、運動にも勢いがついて来た。個々に献金のお願いをすることもあったが、私のツレアイが考えたのは、THEATRE E9 KYOTO（E9）の建設を旗印に東京は世田谷のわが家――時にギャラリーとして開放した実績もあったのだが――、で、バザーを催すことであった。

京都といったら清水寺、二条城、金閣寺などしか知らず、演劇といっても古典芸能しか知らぬ、東京は世田谷のわが家の近辺の人々に、「京都の東九条に小劇場をつくる！」というキャンペーンを張った。誰もがE9が何かも分からなかったけれど、いつか京都に行く時の励みになるからといって、バザーに喜んで協力してくれた。継続は力なりというから、ツレアイと共に、今秋またE9を旗印にしたバザーを行う予定だ。夢は関係者を誘ってE9の芝居を見にいくことだ。

夢は夢にとどまらず。私はE9の顧問をおおせつかった。先日のレセプションでは「ハンマダン」という地域の打楽器のグループの方々が、すばらしい演奏をしてくれた。皆泣いていた。皆感動していた。地域に根ざす地域文化を大切にし劇場に反映させていくと共に、京都の随所から小劇団が立ち現れ、やがては東京、そして世界へと結んでいけたらと夢見る。いや逆もある。世界や東京からE9でやってみたいと言ってくる人々が現れるかもしれぬ。そうなれば夢は夢にあらず、E9の地域文化は、周囲の新たなるアートの活動と連携しながら、さらなる空間的発展を遂げることになろう。

著者紹介

御厨　貴（みくりや・たかし）

東京大学先端科学技術研究センター客員教授、サントリーホールディングス（株）取締役、サントリー文化財団理事、ひょうご震災記念21世紀研究機構研究戦略センター長、東京大学・東京都立大学名誉教授。

1951年、東京都生まれ。東京大学法学部卒業。ハーバード大学客員研究員、東京都立大学教授、政策研究大学院大学教授、東京大学教授、放送大学教授、青山学院大学特任教授などを歴任。

著書に、『政策の総合と権力』（東京大学出版会、サントリー学芸賞受賞）、『馬場恒吾の面目』（中公文庫、吉野作造賞受賞）など多数。

「東日本大震災復興構想会議」議長代理、「くまもと復旧・復興有識者会議」座長代理、「天皇の公務の負担軽減等に関する有識者会議」座長代理などを務めた。また、2007年から2018年までTBSテレビ『時事放談』の司会も務めた。

専門は日本政治史、オーラル・ヒストリー、公共政策、建築と政治。博士（学術、東京大学）。

2018年、紫綬褒章受章。

時代の変わり目に立つ

平成快気談

2020年1月10日　初版第1刷発行

著　者　御厨　貴

発行者　吉田真也

発行所　合同会社 吉田書店

102-0072　東京都千代田区飯田橋2-9-6 東西館ビル本館32

TEL：03-6272-9172　FAX：03-6272-9173

http://www.yoshidapublishing.com/

装幀　野田和浩

DTP　閏月社

印刷・製本　中央精版印刷株式会社

定価はカバーに表示してあります。

ISBN978-4-905497-84-4

御厨貴
明治史論集
――書くことと読むこと

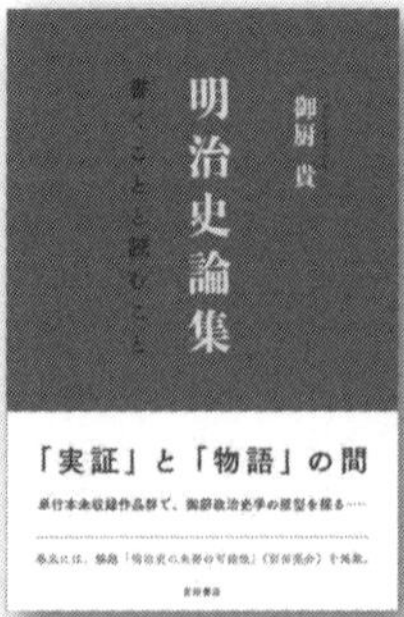

575 頁、本体 4200 円

＊巻末には、解題「明治史の未発の可能性」（前田亮介）を掲載。

御厨貴
戦後をつくる
――追憶から希望への透視図

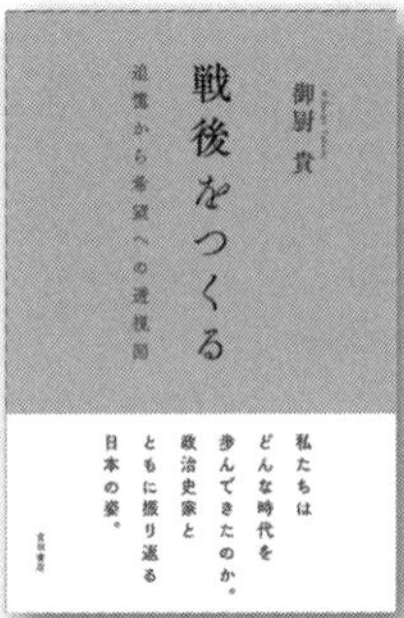

409 頁、本体 3200 円

御厨政治史学とは何か

企画・編集＝東京大学先端科学技術研究センター御厨貴研究室

156 頁簡易装、1800 円

第 I 部には、シンポジウム「御厨政治史学とはなにか」の模様を収録。御厨貴氏のほか、坂本一登、前田亮介、佐々木雄一、河野康子、金井利之、手塚洋輔の各氏が登壇（司会＝佐藤信氏）。
第 II 部「御厨政治史学の真髄」には、池田真歩、佐々木雄一、前田亮介、手塚洋輔、金井利之の各氏による“御厨政治史論”を収録。